D'ALEMBERT

JOSEPH BERTRAND

Copyright pour le texte et la couverture © 2023 Culturea
Edition : Culturea (culurea.fr), 34 Hérault
Contact : infos@culturea.fr
Impression : BOD, Norderstedt (Allemagne)
ISBN :9791041830961
Date de publication : juillet 2023
Mise en page et maquettage : https://reedsy.com/
Cet ouvrage a été composé avec la police Bauer Bodoni
Tous droits réservés pour tous pays.

D'Alembert

CHAPITRE I

L'ENFANCE DE D'ALEMBERT

Leibniz, dit-on, ne faisait cas de la science que parce qu'elle lui donnait le droit d'être écouté quand il parlait de philosophie et de religion. L'idée certes est généreuse et digne de son grand esprit, mais si tous ceux qui abordent ces hautes questions devaient commencer par être des Leibniz, ils deviendraient singulièrement rares. Quelque haut d'ailleurs qu'ils fussent placés, leurs discours éloquents ou vulgaires, orthodoxes ou hérétiques, vaudraient seulement par eux-mêmes et nullement par le nom de l'auteur. Les plus illustres sur ce terrain sont les égaux des plus humbles, et l'autorité n'y peut être acceptée dans aucune mesure. Que les luthériens ne triomphent donc pas pour avoir compté dans leurs rangs Képler et Leibniz, car les catholiques leur opposeraient Descartes et Pascal, et si ces grands hommes se sont hautement déclarés chrétiens, on pourrait, parmi les penseurs les plus libres et les sceptiques les plus hardis, citer des génies du même ordre, au premier rang desquels se place d'Alembert.

Le nom de d'Alembert rappelle aux géomètres l'émule de Clairaut et d'Euler, le prédécesseur de Lagrange et de Laplace, le successeur d'Huygens et de Newton; d'Alembert est, pour les lettrés, l'orateur spirituel, dont l'éloquence toujours prête fut, pendant un quart de siècle, pour deux Académies, le plus grand attrait des séances solennelles.

Les curieux d'anecdotes littéraires savent ses relations avec un grand homme et avec un grand roi, qu'il osait, tout en les respectant et les aimant, et sans méconnaître l'honneur de leur amitié, contredire souvent, blâmer quelquefois et conseiller avec une indépendante sagesse.

A la fin comme au commencement de sa vie, la destinée de d'Alembert le mit en lutte avec le malheur. Vainqueur dans son enfance, il a su, par la force de son caractère et la grâce de son esprit, triompher d'une situation difficile et cruelle. Brisé par le chagrin aux approches de la vieillesse, il a courbé tristement la tête et, sans accepter les consolations de l'amitié ni se soucier des distractions de la gloire, attendu la mort comme une délivrance.

D'Alembert fut exposé quelques heures après sa naissance, le 17 novembre 1717, sur les marches de l'église Saint-Jean-Lerond.

Cette petite église, démolie en 1748, avant d'être un sanctuaire particulier, avait été une chapelle dépendant de la cathédrale ou, pour parler plus exactement, le baptistère même de Notre-Dame de Paris, accolé à la gauche de la façade, dont Claude Frollo, pendant sa chute, apercevait le toit, «petit comme une carte ployée en deux».

Dans plusieurs églises, à Sens et à Auxerre notamment, les chapelles réservées aux cérémonies du baptême s'appellent également Saint-Jean-Lerond.

La mère de d'Alembert, en le livrant à la charité publique, s'était réservé heureusement le moyen de le retrouver un jour. L'enfant, baptisé par les soins d'un commissaire de police, reçut le nom de Jean-Baptiste Lerond. On l'envoya en nourrice au village de Crémery, près de Montdidier; il y resta six semaines. La première nourrice, Anne Frayon, femme de Louis Lemaire, en le rendant le 1er janvier 1718, reçut 5 livres pour le premier mois et 2 livres 5 sols pour les quatorze premiers jours du second. Molin, médecin du roi, probablement accoucheur de la mère, l'avait réclamé en prenant l'engagement de pourvoir à ses besoins. On ne rencontre plus dans la vie de d'Alembert l'intervention de ce praticien célèbre par son avarice. «Jamais, disait-il, mes héritiers n'auront autant de plaisir à dépenser mon bien que j'en ai eu à l'amasser.» Cette fortune était grande, on le devine; d'Alembert n'en eut aucune part. Molin, en l'adoptant, n'était que le prête-nom de son père, le chevalier Destouches, général d'artillerie. Destouches, au mois de novembre 1717, était en mission à l'étranger. Au retour, il s'informa de l'enfant. La mère était Mme de Tencin, chanoinesse et soeur du futur cardinal-archevêque de Lyon. Nous n'avons ici qu'à nous détourner d'elle.

Désireuse avant tout d'éviter le scandale, elle ne demandait à l'enfant, s'il vivait, que de ne pas faire parler de lui. Cédant cependant aux instances de Destouches, elle lui donna, quoique à regret, le moyen de retrouver le pauvre abandonné.

Destouches ne cessa jamais de veiller sur lui. Lors de sa mort en 1726, l'enfant, âgé de neuf ans, laissait prévoir déjà ce qu'il serait un jour. On l'avait placé dans un pensionnat du faubourg Saint-Antoine, celui de Bérée, où Mme Rousseau, son excellente nourrice, passait pour sa mère et méritait ce titre par son empressement, sa tendresse et son orgueil d'avoir un tel fils. Jean Lerond profita beaucoup des leçons de Bérée, qui, dès l'âge de dix ans, déclarait n'avoir plus rien à lui apprendre.

Destouches en mourant ne laissa son fils ni sans ressource, ni sans appui: il lui léguait 1 200 livres de rente et le recommandait à l'affectueuse protection de son excellente famille. C'est par l'influence des parents de son père que d'Alembert, à l'âge de douze ans, toujours sous le nom de Lerond, fut admis au collège des Quatre-Nations. C'était une grande faveur.

Ce collège, fondé par la volonté du cardinal Mazarin, ne recevait que des boursiers choisis par la famille du cardinal, fils de familles nobles, s'il était possible, et originaires de l'une des provinces récemment annexées à la France. Jean Lerond y fut admis comme gentilhomme.

D'Alembert, sans ignorer le nom et la situation de sa mère dans le monde, n'a jamais eu de relations avec elle. Il n'est pas vrai que devenu célèbre il ait refusé de la voir. C'est Mme de Tencin qui le fuyait comme un remords. Le récit de Mme Suard, dans ses Mémoires, a toutes les apparences de la vérité:

«M. d'Alembert, dit-elle, m'a parlé avec la plus grande confiance de Mme de Tencin, sa mère, et de son père, M. Destouches, militaire distingué et le plus honnête homme du monde.

«M. d'Alembert m'a dit que sa nourrice (Mme Rousseau) l'avait reçu avec une tête pas plus grosse qu'une pomme ordinaire, des mains comme des fuseaux, terminées par des doigts aussi menus que des aiguilles. Son père l'emporta bien enveloppé dans son carrosse et parcourut tout Paris pour lui donner une nourrice; mais aucune ne voulait se charger d'un enfant qui paraissait au moment de rendre son dernier souffle. Enfin il arriva chez cette bonne Mme Rousseau, qui, touchée de pitié pour ce pauvre petit être, consentit à s'en charger et promit au père qu'elle ferait tout ce qui dépendrait d'elle pour le lui conserver: elle y parvint à force de soins, et ceux qui ont connu d'Alembert ont été témoins de la tendresse qu'il a conservée pour cette excellente femme, qui s'est montrée sa véritable mère. Il est resté auprès d'elle jusqu'à l'âge de cinquante ans, et, lorsqu'il alla vivre avec Mlle de l'Espinasse, il allait sans cesse chercher sa chère nourrice, la consoler de ses peines, faire des caresses à ses petits enfants, et la laissait heureuse d'avoir un tel fils.»

«Son père le voyait souvent et s'amusait beaucoup, m'a dit d'Alembert, de ses gentillesses et bientôt de ses réponses, qui annonçaient, dès l'âge de cinq ans, une intelligence peu commune; il allait en pension et son maître était enchanté de son esprit.

«Un jour M. Destouches, qui en parlait sans cesse à Mme de Tencin, obtint d'elle qu'elle l'accompagnerait où il l'avait placé, et par les caresses et les questions qu'il adressa à son fils en tira beaucoup de réponses qui le divertirent et l'intéressèrent. «Avouez, madame, dit M. Destouches à Mme de Tencin, qu'il eût été bien dommage que cet aimable enfant eût été abandonné.» D'Alembert, qui avait alors sept ans, se souvenait parfaitement de cette visite et de la réponse de Mme de Tencin, qui se leva à l'instant en disant: «Partons, car je vois qu'il ne fait pas bon ici pour moi.»

«M. Destouches, en mourant, recommanda d'Alembert à sa famille, qui jamais ne l'a perdu de vue. Quand j'ai connu d'Alembert, ajoute Mme Suard, il allait encore dîner avec le neveu et la nièce de son père une fois par semaine, et il était toujours reçu avec autant d'égards que d'estime et d'amitié.

«En me mettant si avant dans sa confidence, d'Alembert m'autorisa à lui demander s'il était vrai que Mme de Tencin lui eût fait dire par un ami, quand il eut acquis une grande célébrité, qu'elle serait charmée de le voir: «Jamais, m'a-t-il dit, elle ne m'a rien fait dire de semblable.—Cependant, monsieur, on vous prête dans cette occasion une réponse très fière à une mère qui, jusqu'à votre célébrité, ne vous avait pas donné un signe de vie; et j'ai entendu bien des personnes applaudir à votre refus comme à un juste ressentiment.—Ah! me dit-il, jamais je ne me serais refusé aux embrassements d'une mère qui m'aurait réclamé; il m'eût été trop doux de la recouvrer.»

«Quand Mme de Tencin mourut, elle laissa tout son bien à Astuc, son médecin. On prétendit que c'était un fidéicommis et que le bien devait passer à d'Alembert, mais il n'en a jamais rien reçu; il disait qu'elle aimait beaucoup Astuc et que, quant à lui, il était bien sûr qu'elle n'avait pas plus pensé à lui à sa mort que pendant sa vie.»

L'éducation des pupilles du cardinal était complète et brillante. Cent livres par an leur étaient accordées pour leur entretien et menues dépenses: une *académie* annexée au collège devait leur enseigner l'équitation, l'escrime et la danse. L'Université de Paris, exécutrice des volontés du cardinal, refusa sur ce point de s'y conformer. D'Alembert, dans son enfance, n'apprit pas les belles manières et ne les connut jamais. Le jeune Lerond fit de brillantes études. La famille de Destouches, heureuse sans doute de ses succès, ne cessa jamais de veiller sur lui. La preuve en est inscrite sur le registre de la Faculté des arts. A la fin de l'année 1735, le jeune écolier, âgé de dix-huit ans, fut reçu bachelier ès arts. Il est inscrit sous le nom de Daremberg. Le registre, dont je dois la connaissance aux recherches perspicaces de M. Abel Lefranc, mentionne la réclamation du candidat Jean-Baptiste Lerond qui repousse le nom de Daremberg que sa famille veut lui imposer. Une note du recteur du collège des Quatre-Nations atteste que Daremberg et Jean Lerond sont une même personne et l'un des plus brillants élèves du collège:

Lerond Parisinus, qui cum a pueritia credidisset et solitus esset a parentibus vocitari Daremberg, inscripsit se in catalogis philosophicis Joannem Baptistum Ludovicum Daremberg, omisso nomine suo gentilitio Lerond. Supplicavit ut inscribatur suo nomine Joannes Lerond sine ullo alio cognomine.

Ut non alia subesse possit dubilatio de Joanne Lerond, dixit idem prosyndicus, juvenem illum in collegio Mazarineo a pluribus annis magna cum laude studere, omnibusque magistris esse notissimum, praesertim ipsi amplissimo rectori, et M. Geoffroy philosophiae professori, quorum lectiones exceperit, et sibi ipsi qui eum habuerit discipulum, caeteris longe antecellentem, ita ut nullus sit dubitandi locus quin juvenis qui se inscripsit Joannem Baptistum Ludovicum Daremberg idem sit qui nunc postulat inscribi se Joannem Lerond.

Quelle est l'origine de ce nom de Daremberg? Pourquoi la famille de Destouches voulait-elle le lui imposer? Pourquoi Jean Lerond, comme par une transaction, adoptait-il trois ans plus tard celui de d'Alembert, qu'il a rendu illustre? Ces questions paraissent insolubles.

Je proposerai une remarque au moins singulière.

L'anagramme de

Il n'est pas impossible que le jeune géomètre, familier avec la théorie des permutations, ait tourné lui-même cette inversion assez conforme aux habitudes de l'époque. Quoi qu'il en soit, dans la famille Destouches on le nommait dès l'enfance le chevalier Daremberg.

Les Archives nationales possèdent l'inventaire après décès de Michel-Camus Destouches, commissaire général de l'artillerie, frère et héritier du père de d'Alembert. On y lit:

«*Item*, une autre liasse contenant seize pièces qui sont mémoires des fournitures faites par ledit deffunt Michel-Camus Destouches et payements par lui faits au chevalier *d'Arembert*, mineur, pour servir au compte des arrérages de la pension viagère de 1 200 livres par an à lui léguées par ledit deffunt Louis-Camus Destouches.»

Le testament de Louis-Camus Destouches, conservé dans l'étude de Me Robineau, notaire à Paris, porte d'autre part: «Je donne et lègue............., plus au sieur Jean d'Arembert à présent en pension chez Bérée, faubourg Saint-Antoine, 1 200 livres de pension viagère, que je veux et entends qui lui soient régulièrement payées et par préférence à tous autres legs, en ayant touché les fonds de ceux à qui il appartient, et, s'il est encore en bas âge quand je mourrai, on lui nommera un tuteur *ad hoc.*»

Que signifient ces mots, *en ayant touché les fonds de ceux à qui il appartient*?

Le legs serait-il un souvenir de sa mère, le seul qu'il en ait jamais reçu?

Les Archives nationales possèdent une lettre de d'Alembert du mois de mars 1779, adressée au ministre de la maison du roi et commençant par ces mots:

«J'ai l'honneur de vous envoyer mon extrait baptistaire. Vous n'y trouverez pas le nom de d'Alembert, qui ne m'a été donné que dans mon enfance et que j'ai toujours porté depuis, mais je suis connu de plusieurs personnes sous le nom de Jean Lerond, qui est mon nom véritable.»

L'orthographe des noms au XVIIIe siècle avait moins de fixité qu'aujourd'hui; il est difficile cependant de considérer d'Alembert, d'Arenbert et d'Aremberg comme trois manières d'écrire le même nom.

D'Alembert apprit au collège ce qu'on y enseignait alors. Il en sortit excellent latiniste, sachant assez le grec pour lire plus tard dans le texte Archimède et Ptolémée. On l'exerça, conformément à la tradition, à *circonduire* et allonger des périodes et à faire brillamment des amplifications, nom très convenable, disait-il plus tard, non sans quelque injustice, à noyer dans deux feuilles de verbiage ce qu'on pourrait et devrait dire en deux lignes. Le talent de bien dire en amplifiant et de trouver sans effort l'heureux arrangement des paroles, développé par ses maîtres au collège Mazarin, n'a pas peu contribué sans doute, n'en déplaise à d'Alembert, à ses succès comme orateur académique. S'ils n'ajoutent rien à sa gloire, ils ont pu, en procurant à ses contemporains des heures de vif plaisir, devenir une des joies de sa vie.

Après avoir passé—c'est ainsi que lui-même juge ses études—sept ou huit ans à apprendre des mots ou à parler sans rien dire, il commença ou, pour mieux dire, on crut lui faire commencer l'étude des choses: c'était la définition de la philosophie. On désignait alors sous ce nom la logique ou, à très peu près, ce que le maître de philosophie se proposait d'apprendre à M. Jourdain: Bien concevoir, par le moyen des universaux; bien juger, par le moyen des catégories, et bien construire un syllogisme, par le moyen des figures:

Barbara, Celarent, Darii, Ferio, Baralipton.

On se demandait si la logique est un art ou une science, si la conclusion est de l'essence du syllogisme.

Quoique la forme prête à la comédie, ne nous persuadons pas qu'une telle étude ne fût alors qu'une inutile et ridicule curiosité. Nul ne songe aujourd'hui à invoquer les règles du syllogisme, on ne le comprendrait pas. Lorsque, il y a deux cents ans, ces règles rigoureuses et irréprochables étaient connues de tous les honnêtes gens, il suffisait, aux yeux des bons juges, pour triompher dans une discussion, de résoudre *in modo et figura* les arguments sophistiques de l'adversaire; chacun félicitait le vainqueur sans ignorer pour cela que le vaincu pouvait avoir raison.

Par le respect de ces règles excellentes, ingénieux théorèmes dans la science du raisonnement, on faisait preuve d'éducation classique, à peu près comme la connaissance de l'escrime ou de l'équitation faisait paraître un élève des académies vraisemblablement de bonne famille.

L'éducation, à toutes les époques—on aurait grand tort de s'en plaindre,—a joint aux connaissances réellement utiles à tous un savoir convenu, sorte de franc-maçonnerie entre ceux qui le possèdent. A quoi sert l'orthographe, sinon à démontrer qu'on a été bien élevé? En Chine, les lettrés ont une langue à part, cela n'est ni sans intention ni sans avantage.

La physique de Descartes enseignée pendant les années de philosophie convenait moins encore à l'esprit rigoureux de d'Alembert. Les cartésiens de collège déraisonnaient en termes obscurs sur des questions mal définies et mal comprises; d'Alembert ne conserva de ses maîtres en physique que le souvenir de paralogismes qu'il parodiait avec gaieté.

C'est en songeant à son professeur de physique qu'il avait conçu l'idée d'une antiphysique dans laquelle on expliquerait et démontrerait, par des raisonnements non moins plausibles que ceux de l'école, le contraire précisément de la vérité.

On dirait, par exemple: *Le baromètre hausse pour annoncer la pluie.*

Explication.—Lorsqu'il doit pleuvoir, l'air est plus chargé de vapeurs, par conséquent plus pesant, par conséquent il doit faire hausser le baromètre.

Ce qu'il fallait démontrer.

L'hiver est la saison où la grêle doit principalement tomber.

Explication.—L'atmosphère étant plus froide en hiver, il est évident que c'est surtout dans cette saison que les gouttes de pluie doivent se congeler jusqu'à se durcir en traversant l'atmosphère.

Ce qu'il fallait démontrer.

Par malheur pour ces explications, les faits y sont absolument opposés. La baisse du baromètre annonce la pluie, et la grêle, en été, tombe plus souvent qu'en hiver. Les raisons sont préférables cependant à celles qu'on invoquait chaque jour dans l'étude de la physique. La liste peut s'étendre, et d'Alembert formait le projet d'y introduire tous les phénomènes physiques.

D'autres branches d'études, qui réclament aujourd'hui bien du temps et provoquent bien des efforts, ne jouaient dans les classes aucun rôle. Les plans d'études du XVIIIe siècle ne nous disent pas comment un excellent élève, comme d'Alembert, apprenait avant de quitter le collège que Charlemagne au IXe siècle avait renouvelé l'empire, et qu'un saint roi nommé Louis s'était croisé au XIIIe. On pouvait mériter tous les prix dans toutes les classes sans avoir appris que Madrid est en Espagne et que François Ier y a été prisonnier de Charles-Quint. Il ne paraît pas que les générations instruites par cette méthode ignorassent plus que celles d'aujourd'hui la géographie et l'histoire. L'excès du mal était le meilleur des remèdes et l'ignorance complète le meilleur stimulant. Les jeunes gens qui n'avaient rien appris lisaient les histoires et consultaient les cartes, à leur jour et à leur heure, quand ils en sentaient le désir et le besoin, avec profit par conséquent. L'habitude de faire pendant les repas des lectures instructives pouvait aussi laisser quelques souvenirs, mais il est à croire qu'on n'écoutait guère.

Quoi qu'il en soit, Diderot, Voltaire et d'Alembert, et, au siècle précédent, Corneille, Racine et Bossuet ont été instruits par cette méthode; leur ignorance a été passagère. Le désir d'apprendre est le meilleur fruit des premières études. On le fait naître en exerçant l'esprit, non en fatiguant la mémoire. Quand l'ignorance devient un ennemi, la victoire n'est pas douteuse. Les écoliers du XVIIIe siècle en sortant du collège ne pouvaient pas s'écrier comme ceux d'aujourd'hui: «Me voilà, grâce à Dieu, débarrassé de mes études!» Ils ne l'étaient pas, et c'était un grand bien. Le but n'était pas alors de préparer l'élève à une profession libérale, moins encore à un examen, on lui livrait la source, c'était à lui d'y boire et d'apprendre, après son entrée dans le monde, suivant ses besoins et son zèle, les vérités utiles ou utilisables. Le collège l'y préparait par l'étude des bonnes lettres en le rendant capable de parler et de raisonner des choses avec les honnêtes gens, de lire avec fruit tous les livres, d'en écrire au besoin, en donnant à son esprit la politesse commune à tous les temps et à toutes les nations. Deux conditions sont nécessaires, on ne saurait le nier: la première est de connaître les choses; la seconde est de savoir parler, raisonner et écrire sur celles que l'on a apprises.

La première n'est pas la plus importante; elle s'apprend à tout âge. Si la seconde à vingt ans n'est pas acquise, on risque fort de l'ignorer toujours.

Jean Lerond, après avoir subi l'examen du baccalauréat es arts, suivit pendant deux années les leçons de l'École de droit. Il s'inscrivit pour les cours des professeurs Amyot, Legendre, de Ferrière et Rousseau. On lit sur les registres dix mentions relatives à d'Alembert. Il suffira d'en citer une:

Ego Joannes Lerond Parisiensis excipio lectiones dominorum Amyot et Legendre, octob. 1736 die ultimo.

Dans le registre intitulé *Registrum supplicantium pro assequendis gradibus: Die Jovis 11 Juli 1738, supplicaverunt pro examine gallico: Joannes Lerond Parisiensis et D. Rousseau, Legendre, Maillot, Delaroche, Bernard.*

D'Alembert, licencié en droit, pouvait plaider, et son brillant esprit lui promettait de grands succès, mais la profession ne lui plaisait pas. Il n'aurait accepté que de bonnes causes, et elles sont rares. Il faut se garder d'en évaluer le nombre à la moitié de celles qui se plaident. Quand l'un des plaideurs a tort, il n'est pas certain que l'autre ait raison; d'Alembert connaissait les fables de La Fontaine. Riche de 1 200 livres de rente, il vivait chez sa mère adoptive, heureux d'apporter dans la modeste vie de la famille sinon l'aisance au moins la sécurité. Jamais le Palais ne le vit à la barre. Il voulut étudier en médecine. Lui-même l'a raconté, mais son passage à la Faculté n'a pas laissé de traces.

Les professeurs du collège Mazarin, presque tous prêtres, se faisaient aimer de leurs élèves. Jansénistes ardents, ils servaient volontiers de directeurs à leurs consciences et de guides à leurs premiers pas dans le monde.

Jean Lerond, joyeux et confiant, accepta d'abord leurs conseils. Leurs livres de dévotion l'ennuyèrent, ils s'y attendaient: on lui prêta les livres de controverse. La sympathie et la confiance ont des bornes. D'Alembert, effrayé de cette pieuse ferveur qui n'engendrait que la haine, rejeta cet amer breuvage, et, sans cacher toute sa répugnance, devint l'adversaire, bientôt l'ennemi de ceux qui le lui présentaient. Les invectives, dans les discussions théologiques, en 1736, allaient jusqu'à la fureur. Jansénistes et jésuites, pour l'attaquer ou pour la défendre, faisaient de la bulle *Unigenitus* l'essentiel de la religion et la pierre de touche de la foi.

Les pamphlets succédaient aux pamphlets, et si d'Alembert, comme il s'en est vanté, lisait avec conscience tous ceux qu'on lui prêtait, la polémique la plus violente occupait une grande part de son temps.

Le livre du père Quesnel: *Réflexions sur le Nouveau Testament* avait été l'occasion et devenait le terrain de la lutte. La destinée de ce livre est singulière. Publié en 1671, on le recommandait dans plusieurs diocèses et le citait comme le soutien le meilleur et le plus édifiant de la foi, tiré des pures sources de l'Écriture et de la tradition. Son succès pendant un quart de siècle s'accroissait sans cesse. L'archevêque de Paris, écrit Bossuet qui l'approuve, étant encore évêque de Châlons, crut trouver dans ce livre un trésor pour son Église. Le pieux évêque, après l'avoir revu et annoté, l'adressa aux curés, aux vicaires et aux autres ecclésiastiques de son diocèse pour servir de matière à leurs instructions. Les *Réflexions du père Quesnel* étaient reçues avec avidité et édification, les libraires ne pouvaient suffire à la dévotion des fidèles; chaque mois voyait naître une édition nouvelle.

«Il suffisait, si nous en croyons le témoignage de Bossuet, de lire le livre des *Réflexions morales* pour y trouver, avec le recueil des plus belles pensées des saints, tout ce qu'on peut désirer pour l'édification, pour l'instruction et pour la consolation des fidèles.»

Tant d'excellentes pages cependant et tant de pieuses annotations cachaient le poison janséniste.

Les jésuites eurent d'abord des scrupules et des doutes, la discussion anima leur zèle. La question fut portée à Rome. On s'y partagea comme à Paris. La décision sans appel de la bulle *Unigenitus* ordonna enfin, en 1713, la soumission et le silence aux esprits les plus orgueilleux et les plus tenaces qui furent jamais. Un livre édifiant et orthodoxe pendant quarante ans était interdit. Les maximes et les conseils que les jésuites eux-mêmes avaient eus en vénération devenaient, sur leur insistance, dangereux et impies. On condamnait cent une propositions d'autant plus coupables que le venin y était plus caché.

Il l'était extrêmement, et beaucoup de fidèles, une grande partie même du clergé, habitués à en nourrir leur esprit, refusèrent de changer de régime. La guerre fut déclarée et troubla la France pendant plus d'un demi-siècle. Quarante ans après la publication de la bulle, le nombre des lettres de cachet lancées à son occasion dépassait quarante mille. Du haut en bas, la société était divisée. On était *appelant* ou *non appelant*; les plus ardents étaient *réappelants*; les non communiquants refusaient toute relation avec les approbateurs de la bulle. Le *silence respectueux* était blâmé de tous, le mépris prodigué à ceux qui pesaient les affaires du sanctuaire dans la balance de la raison, et le *tolérantisme* flétri comme une faiblesse ou dénoncé comme un crime. Pour délivrer la vérité retenue dans l'injustice, chacun se faisait gloire de devenir une *ville forte*, une *colonne inébranlable* et un *mur d'airain*. Un bourgeois de Paris bien pensant n'aurait pas confié ses souliers à un décrotteur ou sa malle à un commissionnaire sans prendre des informations, pour ne pas souiller sa conscience en encourageant l'indifférence d'un non appelant ou l'erreur criminelle d'un partisan de la bulle.

Il fallait être janséniste ou moliniste. Boindin, auteur comique fort oublié, disait: «Entre Dumarsais et moi la différence est grande: Dumarsais est athée janséniste, et moi je suis athée moliniste».

Quoique la bulle fût de 1713, au moment où d'Alembert quitta le collège, en 1735, la polémique redoublait de violence. Les guérisons du cimetière de Saint-Médard sur le tombeau du diacre Pâris accroissaient l'ardeur fanatique des jansénistes, tout fiers des miracles que Dieu faisait pour eux.

On discutait sur les limites de l'observance due à la cour de Rome: s'étend-elle aux questions de fait? Le problème, comme au temps de Pascal, avait deux solutions opposées, évidentes chacune pour ceux qui l'adoptaient. Pour se faire une idée de l'acharnement des partis, il faut les laisser parler.

«La charité chrétienne, disait une brochure du temps, permet-elle, sans se faire leur complice, de communiquer avec ceux qui, pour combattre la vérité, descendent tout vivants dans l'Enfer?»

«Quand j'ouvre cette bulle, disait un autre auteur, et que j'y vois condamner cent une vérités qui sont l'élixir de la tradition, l'abrégé du christianisme, le rempart de l'Église, le fondement de la religion, dois-je me contenter de dire: on veut me faire illusion? La bulle est visiblement subreptice et porte tous les caractères de la plus pernicieuse nouveauté.»

C'est sur ce ton que, par des milliers de pamphlets se répondant comme les voix d'un choeur d'anathèmes, les partis, pendant un quart de siècle, se maudissent, se déchirent et s'insultent. Pour ceux qui prendraient intérêt au fond, ils sont rares aujourd'hui, il serait malaisé de les instruire. Pour voir ce venin si bien caché et comprendre ces subtiles distinctions, il faut regarder de près et avoir de bons yeux.

Quand Dieu veut sauver l'âme, en tout temps, en tout lieu,
L'inévitable effet suit le vouloir de Dieu.

L'innocence de ces deux vers semble égaler leur platitude. C'est une dangereuse erreur: ils contiennent deux hérésies condamnées par la bulle.

Dans les miracles accomplis sur le tombeau d'un appelant, le bienheureux Pâris, les jésuites n'accordaient aucun sujet de triomphe à leurs adversaires.

Il fallait avant tout définir le mot miracle. Comment espérer sans cela une argumentation solide? Un miracle, disaient-ils, doit être instantané et complet. Tout ce qui vient de Dieu a d'abord sa perfection. Ses oeuvres sont achevées suivant la force du terme. C'est une vérité dont Moïse nous est garant. Quelque chose que Dieu fasse, il est impossible, dit le Sage, d'y ajouter ou d'en retrancher.

Oserait-on prétendre qu'il est impossible d'ajouter à une guérison imparfaite? Elle n'est donc pas l'oeuvre de Dieu.

Satan, le père du mensonge, qui remue le ciel et la terre pour susciter des ennemis à Dieu parmi les hommes, ne peut-il pas aussi faire des miracles? On n'en peut pas chrétiennement douter. Les maléfices sont constants, les histoires en sont remplies, les confessions des malfaiteurs en font foi, les arrêts des cours souveraines le confirment. Mais le démon n'a pas la toute-puissance, il essaye, il tâtonne, il s'y reprend à plusieurs fois. Entre sa folle malice et la sage bonté de Dieu, la distinction devient facile.

Les malades guéris à Saint-Médard, après avoir ajouté neuvaines sur neuvaines, ne peuvent être, suivant cette doctrine, que des imposteurs ou des démoniaques. Un paralytique jette ses béquilles sur le tombeau du diacre, et rentre à pied chez lui, mais *en boitant*. Ce n'est pas Dieu qui fait ainsi les choses à demi, le miracle est un piège, l'apparente promesse une menace, et les convulsions qui la précèdent, les effets, dans ce lieu maudit, de la rage et de la furie du démon. Il n'est rien de mieux fondé sur les Écritures.

N'a-t-il pas été dit dans l'Apocalypse: *Vae terrae et mari, quia descendit diabolus ad vos habens iram magnam!*

A ces preuves en apparence si solides on opposait l'évidence des faits.

La première oeuvre de Dieu a été la production du chaos, et la terre fut d'abord sans beauté, afin que l'on apprît que toute créature ne devient parfaite qu'à mesure que Dieu l'enrichit.

L'enfant ressuscité par Élie ne l'a été qu'après que le prophète se fut étendu trois fois sur lui. Le même prophète, le texte est formel, a envoyé sept fois son serviteur avant que la pluie promise à Achab eût commencé à tomber. Élisée s'est couché sept fois sur l'enfant de la Sunamite, il a frappé sept fois le Jourdain. Naaman, qu'il envoya au Jourdain, s'y est baigné sept fois consécutives, et Ezéchias, personne ne l'ignore, n'a été guéri que *le troisième jour*; si Dieu eût voulu le guérir subitement, on ne lui aurait pas promis comme une grande grâce qu'il irait au temple dans trois jours. Comme dans l'antiphysique de d'Alembert, les faits démentent la théorie.

Cette théorie d'ailleurs suppose ce qui est en question.

Les maladies du corps sont l'image des maladies de l'âme, c'est-à-dire des péchés; les guérisons miraculeuses que Dieu opère des maladies du corps sont l'image de celles qu'il opère dans nos âmes.

La conséquence est évidente: Dieu quelquefois convertit un pécheur en un moment par un coup extraordinaire de sa grâce, mais cela arrive aussi rarement dans cette lie des siècles, qu'il arrivait fréquemment dans l'Église naissante.

Dans les efforts que fait un pécheur pour rompre ses liens et ses mauvaises habitudes, l'âme souffre des espèces de convulsions dont celles des corps malades dans le cimetière de Saint-Médard ne sont aujourd'hui que l'image.

Le père Quesnel a dit:

«On ne sait ce que c'est que le péché et la vraie pénitence, quand on veut être rétabli d'abord dans la possession des biens dont le péché nous a dépossédés et qu'on ne veut pas porter la confusion de cette séparation»; et là-dessus les deux partis triomphaient, car cette maxime, acceptée par les appelants et favorable aux miracles lentement accomplis, est la quatre-vingt-huitième proposition condamnée par la bulle.

Les miracles du démon sont des crimes. Ceux qui en profitent méritent la mort, et la responsabilité s'étend fort loin.

Toute la postérité d'Aman fut pendue comme lui, et les enfants des accusateurs de Daniel furent jetés avec eux dans la fosse aux lions.

La peine est portée plus loin parmi les Chinois: les mandarins sont déposés en même temps que leurs parents sont punis lorsqu'il se consomme quelque grand crime, comme quand les enfants ont dit des injures à leurs pères. Sur ce pied, la punition des convulsionnaires irait bien loin, puisque leur état criminel est injurieux à Dieu, le père de tous les chrétiens.

L'ironie est une arme puissante. On lisait beaucoup en 1735 *Cartouche, ou le Scélérat sans reproche par la grâce du père Quesnel.*

Cartouche est un honnête homme, un fort honnête homme, en un mot un homme irréprochable, et ceux qui en jugent autrement sont obligés en conscience d'abjurer le père Quesnel ou de faire réparation à Cartouche. Pourquoi le blâmer? Pouvait-il, si la grâce lui a manqué, se défendre des crimes dont il était tenté? car les commandements sont impossibles à qui les transgresse.

«Un jour, dit la *Correspondance* de Grimm, le cardinal de Rochechouart, ambassadeur de France à Rome, entre chez le pape Benoît XIV avec un visage fort allongé: «Eh bien, qu'y a-t-il, monsieur l'ambassadeur? lui dit-il.—Je viens de recevoir la nouvelle, lui dit l'ambassadeur, que l'archevêque de Paris est de nouveau exilé.—Et toujours pour cette bulle? demande le pape.—Hélas! oui, Saint-Père.—Cela me rappelle, reprend le pontife, une aventure du temps de ma légation à Bologne. Deux sénateurs prirent querelle sur la prééminence du Tasse sur l'Arioste. Celui qui tenait pour l'Arioste reçut un bon coup d'épée dont il mourut. J'allai le voir dans ses derniers moments: «Est-il possible, me dit-il, qu'il faille périr dans la force de l'âge pour l'Arioste que je n'ai jamais lu!»

C'est à Benoît XIV si peu confiant dans les lumières des défenseurs de la bulle, que Voltaire a dédié sa tragédie de *Mahomet*, pour l'examen de laquelle, par une fantaisie singulière de M. d'Argenson, d'Alembert avait été pour une fois transformé en censeur.

Benoît XIV avait raison sans doute, mais sous ces questions mal comprises par les plus ardents s'agitait déjà la prétention de penser librement. Les jansénistes n'en convenaient pas, mais les jésuites montraient clairement qu'en se faisant juge de la foi, en préférant la persuasion de chacun à toute autorité visible, on fait de l'Église une république où le scepticisme doit triompher. Les pères fondaient de grandes espérances sur Jean Lerond; ils voulaient de leur brillant élève faire un ennemi des jésuites. Leur pieux désir eut un succès complet, mais ils dépassèrent le but, et d'Alembert devint également hostile aux deux partis. Il conserva pendant toute sa vie pour cette nourriture, qu'il serait injuste d'appeler théologique, une répugnance mêlée de colère, traitant d'ennemis publics tous ceux qui, pour ces bagatelles sacrées, troublaient la tranquillité des citoyens et la paix des esprits.

D'Alembert aimait à rire. Les histoires de convulsionnaires, premier aliment de son esprit, lui en donnaient rarement l'occasion. On me permettra cependant, dans la *Vie du diacre Pâris* condamnée au feu par l'Inquisition et solennellement brûlée à Rome, de signaler une anecdote fort oubliée et cependant devenue célèbre. Labiche en a fait le sujet de sa charmante pièce *le Misanthrope et l'Auvergnat*. Bien peu de nos contemporains, en l'applaudissant au théâtre du Palais-Royal, y ont soupçonné une réminiscence des convulsionnaires de Saint-Médard.

Le diacre Pâris, interdit comme appelant de la bulle au futur concile, vivait saintement et souffrait sans se plaindre: le parti le canonisait. Le bon diacre consacrait aux bonnes oeuvres une fortune supérieure à ses besoins. Sa conscience timorée se reprochait chaque jour des faiblesses qu'il était seul à apercevoir.

Un prêtre du diocèse d'Orléans s'était rendu célèbre par son humeur frondeuse et son caractère difficile. Il avait dans plusieurs paroisses apporté la discorde et le trouble; suspect, de plus, de jansénisme et condamné par son évêque, il était tombé dans la pauvreté. Le bon diacre lui offrit l'hospitalité avec l'injonction formelle de tout observer dans la maison et d'étudier, sans craindre l'indiscrétion, les imperfections et les péchés de son hôte. Pâris couchait sans draps et vivait de légumes. En échange de cette maigre chère, la tâche imposée à son surveillant était facile. Le saint homme péchait rarement. La situation était celle de Machavoine chez Chiffonet. Le dénouement fut le même; un jour vint où le diacre, à bout de patience, s'écria: «Véritablement, il va un peu loin!»

Les livres jansénistes prêtés à d'Alembert contenaient peu d'histoires de ce genre; il s'en dégoûta bien vite. Pendant ses études de médecine comme à l'École de droit, d'Alembert s'exerçait aux mathématiques. Les leçons élémentaires reçues au collège étaient excellentes, et un souvenir reconnaissant est dû à son maître M. Caron.

Les amis de d'Alembert, regardant, non sans raison, les mathématiques comme un mauvais instrument de fortune, eurent assez d'influence pour le décider à se séparer pour un temps de ses livres de science. Il les porta chez un ami, chez Diderot peut-être. La médecine restait sa seule étude, mais la géométrie, quoi qu'il fît, le divertissait sans cesse. Les problèmes troublaient son repos. Impatient de toute contrainte, même volontaire, d'Alembert, chaque fois qu'une difficulté l'arrêtait, allait chercher un des volumes. Ils revinrent tous dans sa petite chambre. La maladie était sans remède: il l'accepta comme un bonheur. La médecine fut abandonnée; les problèmes, résolus sans scrupule, furent discutés avec persévérance. D'Alembert, à l'âge de vingt ans, avait, sans rien rêver de plus pour l'avenir, la modeste ambition de devenir un grand géomètre.

CHAPITRE II

D'ALEMBERT ET L'ACADÉMIE DES SCIENCES

D'Alembert, vers la fin de sa vie, songeant à ses premiers travaux, écrivait avec émotion: «Les mathématiques ont été pour moi une maîtresse!»

Cette maîtresse, quoique souvent négligée, ne l'a jamais trahi. Le temps pendant lequel des succès sans éclat couronnaient des travaux sans ambition fut pour lui le plus heureux et le plus regretté. Sous le modeste toit de celle qui lui servait de mère, il trouvait la tranquillité nécessaire à ses profondes recherches. En se réveillant dans sa petite chambre mal aérée, et de laquelle on voyait trois aunes de ciel, il songeait avec joie à la recherche commencée la veille et qui allait remplir sa matinée, au plaisir qu'il allait goûter le soir au spectacle, et, dans les entr'actes des pièces, au plaisir plus grand encore que lui promettait le travail du lendemain. Le monde—je veux dire les sociétés brillantes dans lesquelles d'Alembert devait être bientôt recherché et admiré était pour lui sans attrait; il ne le connaissait ni ne le désirait.

Quelques amis, dont quelques-uns devinrent célèbres ou illustres, formaient sa société habituelle. Le profond géomètre était cité comme le plus gai, le plus plaisant, le plus aimable de tous.

La première communication de d'Alembert à l'Académie des sciences est du 19 juillet 1739; elle est insignifiante. Il propose une remarque relative à un passage d'un livre classique alors, l'analyse démontrée du père Reyneau. Tout lecteur attentif pouvait l'écrire sans travail en marge de son exemplaire. Clairaut, nommé rapporteur, loua avec bienveillance le jeune géomètre de vingt et un ans pour son exactitude et son zèle.

Un an après, en 1740, d'Alembert aborde la mécanique des fluides. Il vise trop haut cette fois, et les plus habiles aujourd'hui, malgré les progrès ou, pour mieux dire, à cause des progrès de la science, reculeraient devant les difficultés qu'il accumule. Il étudie la réfraction d'un corps solide lancé obliquement dans un liquide. Clairaut, sans affirmer l'exactitude de la solution, y signale beaucoup de savoir et y loue beaucoup d'habileté.

Trois mémoires nouveaux, que d'Alembert n'a pas jugés dignes, non plus que les précédents, de figurer dans ses opuscules imprimés, confirmèrent l'opinion très favorable qu'il avait su dès le premier jour donner de ses talents.

18/120

Sans attendre d'autres titres à la confiance des géomètres, le 1er mars 1741, à l'âge de vingt-trois ans, d'Alembert osa demander à l'Académie des sciences une place d'*associé* devenue vacante. On débutait habituellement par le titre d'*adjoint*. L'Académie préféra Lemonnier, qui, depuis cinq ans déjà, avait franchi ce premier pas de la carrière académique.

La promotion de Lemonnier laissait vacante une place d'adjoint: d'Alembert la demanda. L'Académie nomma l'abbé de Gua. Vaincu une troisième fois par l'astronome Lacaille, le jeune candidat fut enfin nommé, le 17 mars 1742, adjoint pour la section d'astronomie. Il était âgé de vingt-quatre ans.

L'extrême jeunesse des candidats proposés au choix du roi pourrait surprendre. Lemonnier, préféré à d'Alembert lors de sa première candidature, était entré à l'Académie à l'âge de vingt et un ans, Clairaut à dix-huit ans; Lacaille, âgé de vingt-huit ans, était un candidat déjà mûr.

Les savants pour lesquels aujourd'hui les portes de l'Académie s'ouvrent avant leur trentième année sont fort rares. L'avantage accordé à nos anciens ne révèle ni des génies plus précoces, ni des efforts plus heureux, ni des luttes moins difficiles. Les jeunes savants, admis autrefois comme adjoints ou même comme associés de l'Académie, ne porteraient pas aujourd'hui le nom de membres. Ils avaient le droit d'assister aux séances et d'y demander la parole: rien de plus; ils ne votaient pas dans les élections. Les pensionnaires, seuls pensionnés comme l'indique leur nom, se partageaient les jetons de présence. L'étude des procès-verbaux suffirait pour fournir une de ces preuves dont l'histoire souvent doit se contenter. En relevant pour plusieurs années le nombre des signatures, j'ai trouvé, pour toutes, les pensionnaires plus exacts que leurs jeunes confrères. La conséquence est évidente; la probabilité ne peut se calculer, mais la vraisemblance n'est pas contestable.

En réalité, les adjoints louchaient les jetons de présence, qui étaient de deux francs, dans un cas seulement, celui de l'enterrement d'un confrère.

D'Alembert fut promu en 1746 au rang d'associé géomètre. On lit sur les registres, à la date du 26 février 1746:

«MM. d'Alembert et Bélidor obtiennent la majorité des voix pour la place d'associé géomètre vacante par la promotion de Lemonnier à celle de pensionnaire astronome.»

Deux pages plus loin:

«Le roy a choisi M. d'Alembert pour la place d'associé géomètre.»

D'Alembert, par une faveur spéciale et fort rare, avait obtenu en 1745, étant encore adjoint, une pension de 500 livres sur les fonds de l'Académie.

Le 7 avril 1756, d'Alembert figure encore parmi les associés. Le 10 avril 1756, sans qu'aucune mention soit faite d'une nomination, il est inscrit au nombre des pensionnaires.

Le 8 mai 1756, le comte d'Argenson écrit:

«Je vous donne avis que le roy désire qu'il soit incessamment procédé à l'élection à la place d'associé qui vaque à l'Académie des sciences par la promotion de M. d'Alembert à celle de pensionnaire surnuméraire.»

M. de Parcieux est nommé.

C'est seulement en 1765 que d'Alembert, plus de vingt ans après son entrée à l'Académie, échangea le titre de pensionnaire surnuméraire pour celui de pensionnaire titulaire, et fut enfin mis en possession de tous les avantages et de tous les droits accordés aux membres de l'Académie des sciences.

Le traité de dynamique de d'Alembert, publié en 1743, plaça immédiatement son auteur au nombre des premiers géomètres de l'Europe. La matière, difficile et nouvelle, était traitée de main de maître. Le livre de d'Alembert, aujourd'hui rarement consulté, fait époque dans l'histoire de la mécanique. Lagrange, un demi-siècle plus tard, écrivant avec élégance et profondeur l'histoire de la science qu'il transformait de nouveau, dit en parlant du livre de d'Alembert:

«Le traité de dynamique de d'Alembert, qui parut en 1743, mit fin à ces espèces de défis, en offrant une méthode directe et générale pour résoudre ou du moins pour mettre en équations tous les problèmes de dynamique qu'on peut imaginer. Cette méthode réduit toutes les lois du mouvement des corps à celle de leur équilibre et ramène ainsi la dynamique à la statique.» Ramener la dynamique à la statique! Le progrès accompli par d'Alembert se résume en effet par ces paroles, qui malheureusement, pour qui n'a pas approfondi la question, ne peuvent avoir aucun sens; incompréhensible pour les uns, la phrase, dans sa concision, en dit beaucoup trop pour les autres. Il s'agit seulement—il faut appeler sur ce point l'attention—de la mise du problème en équations. La résolution de ces équations par des méthodes qui varieront d'un cas à l'autre laissera subsister un vaste champ de recherches. La statique fait connaître les conditions de l'équilibre. Qu'ont-elles de commun avec les lois du mouvement? Si, dans l'espoir de le comprendre, nous considérons le cas le plus simple, celui d'un point matériel isolé, les deux problèmes restent entièrement distincts. On peut approfondir les conditions d'équilibre sans avoir fait un pas dans l'étude du mouvement; la dépendance mutuelle des deux théories n'existe que pour les *systèmes* dans lesquels les points liés les uns aux autres sont rendus solidaires. L'un des cas les plus simples est celui du pendule. Le pendule simple, formé par un *point* pesant oscillant à l'extrémité d'un fil dépourvu de masse, est une abstraction mathématique; c'est le plus simple des *systèmes*. Le point n'est pas libre; il ne peut quitter le cercle dont l'extrémité fixe du fil est le centre. Le pendule composé, dans lequel oscille une masse do dimensions appréciables suspendue à une tige pesante comme elle, présente un second cas, beaucoup moins simple. Si chaque point était libre, il oscillerait d'autant plus vite qu'il serait plus rapproché du centre; il ne peut en être ainsi: la tige rigide et la masse qui la termine oscillent dans le même temps. Les points se font des concessions, ils y sont forcés. Ceux d'en bas iront plus vite et ceux d'en haut plus lentement que s'ils étaient seuls. Les liaisons, pour imposer ces changements, font naître des forces, et ces forces doivent être introduites dans les équations du problème; elles sont inconnues: comment faire? Les plus habiles avant d'Alembert avaient rencontré ce problème, dont la solution préalable semble indispensable, sans apercevoir de solution. Sans entrer au détail, ce qui serait impossible, nous réduirons la grande découverte de d'Alembert à la remarque qui lui sert de base.

Le système, quel qu'il soit, par la nature des liaisons qui le définissent, est capable de produire certaines forces. *Ces forces sont les mêmes dans l'état d'équilibre et dans l'état de mouvement.* Les lois de la statique sont depuis longtemps connues, ces forces y jouent un rôle, et, par cette étude antérieure, le problème auxiliaire, si difficile en apparence, se trouve résolu d'avance ou, pour mieux dire, éludé.

Dans le discours préliminaire qui précède le traité de mécanique, apparaissent pour la première fois quelques-unes des qualités qui devaient appeler si souvent d'Alembert loin du théâtre de ses premiers succès. On rencontre déjà l'écrivain habile et le philosophe hardi qui ose aborder les questions les plus hautes, discutant le degré de certitude de toute vérité acceptée.

«Les questions les plus abstraites, celles que le commun des hommes regarde comme les plus inaccessibles, sont souvent, dit-il, celles qui portent avec elles une plus grande lumière. L'obscurité semble s'emparer de nos idées à mesure que nous examinons dans un objet plus de propriétés sensibles; l'impénétrabilité ajoutée à l'idée d'étendue semble ne nous offrir qu'un mystère de plus; la nature du mouvement est une énigme pour les philosophes; le principe métaphysique des lois de la percussion ne leur est pas moins caché; en un mot, plus ils approfondissent l'idée qu'ils forment de la matière et des propriétés qui la représentent, plus cette idée s'obscurcit et paraît vouloir leur échapper, plus ils se persuadent que l'existence des objets extérieurs, appuyée sur le témoignage équivoque de nos sens, est ce que nous connaissons le moins imparfaitement encore.»

D'Alembert aborde dans son discours une question fort célèbre alors et que les géomètres, qui peuvent seuls approfondir la discussion, résolvent tous aujourd'hui, sans, il est vrai, s'en inquiéter beaucoup, dans un sens opposé à celui qu'il adopte. Les lois de la mécanique sont-elles des vérités nécessaires ou contingentes? Peut-on, en d'autres termes, par le seul raisonnement et en dehors de toute expérience, démontrer les principes de la science et découvrir les lois du mouvement? «Pour fixer nos idées sur cette question, il faut, dit d'Alembert, d'abord la réduire au seul sens raisonnable qu'elle puisse avoir. Il ne s'agit pas de décider si l'auteur de la nature aurait pu lui donner d'autres lois que celles que nous observons; dès qu'on admet un être intelligent et capable d'agir sur la matière, il est évident que cet être peut à chaque instant la mouvoir et l'arrêter à son gré, ou suivant des lois uniformes, ou suivant des lois qui soient différentes pour chaque instant et pour chaque partie de matière; l'expérience continuelle de notre corps nous prouve assez que la matière, soumise à la volonté d'un principe pensant, peut s'écarter dans ses mouvements de ceux qu'elle aurait véritablement si elle était abandonnée à elle-même. La question proposée se réduit donc à savoir si les lois de l'équilibre et du mouvement qu'on observe dans la nature sont différentes de celles que la matière abandonnée à elle-même aurait suivies.»

Cette seule manière raisonnable de poser la question semble, il faut l'avouer, bien singulière, et l'idée de considérer la matière abandonnée à elle-même et affranchie du gouvernement, on pourrait presque dire des caprices de la raison souveraine, laisse entrevoir l'ami de Diderot disposé à écarter partout et toujours, dût-il ne rien rester, les arguments puisés dans une telle considération.

Lorsque Lagrange déclare que la dynamique de d'Alembert a mis fin entre les géomètres aux problèmes difficiles proposés par défi, si le lecteur suppose que la théorie du mouvement, trop bien connue, n'était plus digne de servir d'épreuve, il a très mal compris l'assertion. Descartes, parlant de sa grande découverte, l'analyse appliquée à la géométrie, déclare, non sans orgueil et même avec plus d'orgueil qu'il n'est permis, qu'il se dispense de résoudre les problèmes auxquels sa méthode est applicable, pour laisser à ses descendants le plaisir facile de s'y exercer. Pour la géométrie, comme pour la mécanique, l'assertion est trompeuse. La science, dans aucun cas, n'a procédé ainsi. Plus une méthode est nouvelle et féconde, plus elle étend le champ de l'inconnu. Les difficultés à vaincre pour avancer encore grandissent aux approches des sommets, qui, pour cette raison peut-être, ne seront jamais atteints. D'Alembert n'a vu dans son principe qu'une voie signalée à tous et ouverte à lui-même pour tenter de nouveaux travaux.

Quelques-uns sont admirables. L'un des premiers, malgré le succès obtenu, ne doit être aujourd'hui loué qu'avec réserves.

D'Alembert, en 1746, obtint le prix proposé par l'Académie de Berlin à l'auteur du meilleur ouvrage sur la cause des vents. Ce concours eut sur la vie de d'Alembert une grande influence en le mettant en relation avec Frédéric, dont, pendant quarante ans, il resta l'ami: c'est le seul mot qui convienne.

Le livre de d'Alembert sur la cause des vents ne tend pas à l'application.

D'Alembert n'a pas étudié le véritable mécanisme, déjà connu, dans ses traits généraux au moins, qui explique les vents alizés soufflant sans cesse dans la zone torride et presque exactement de l'est vers l'ouest. Ils sont produits par les différences de température, qui dans ces régions déterminent l'élévation de l'air: l'air plus froid qui le remplace et vient des régions boréales est animé d'une moindre vitesse de rotation et semble par conséquent souffler en sens opposé au mouvement de la terre.

D'Alembert ne parle de cette cause principale et prépondérante que pour refuser de s'en occuper. «J'avoue, dit-il, que la différente chaleur que le soleil répand sur les parties de l'atmosphère doit y exciter des mouvements; je veux même accorder qu'il en résulte un vent général qui souffle toujours dans le même sens, quoique la preuve qu'on en donne ne me paraisse pas assez évidente pour porter dans l'esprit une lumière parfaite; mais si on se propose de déterminer la vitesse de ce vent général et sa direction dans chaque endroit de la terre, on verra facilement qu'un pareil problème ne peut être résolu que par un calcul exact; or les principes nécessaires pour ce calcul nous manquent entièrement, puisque nous ignorons et la loi suivant laquelle la chaleur agit et la dilatation qu'elle produit dans les parties de l'air: cette dernière raison est plus que suffisante pour nous déterminer à faire ici abstraction de la chaleur solaire, car, comme il n'est pas possible de calculer avec quelque exactitude les mouvements qu'elle peut occasionner dans l'atmosphère, il faut nécessairement reconnaître que la théorie des vents n'est susceptible d'aucun degré de perfection de ce côté-là.» Ces lignes contiennent une déclaration de principes bien dangereuse pour les progrès de la physique. Bien éloigné de vouloir approfondir les causes cachées, d'Alembert n'accepte que des problèmes bien nets et bien purs, dont l'énoncé permette une solution exacte et achevée; non content de négliger ce qui est petit et sans influence sensible, il écarte avec dédain tout ce qui, lui semblant mal connu et mal déterminé, diminue la précision et la beauté du problème. C'est la même tendance qui plus tard et dans un autre ordre d'idées devait le conduire à restreindre, jusqu'à l'annuler, le champ de la métaphysique et de la philosophie.

Malgré l'habileté qu'il y déploie, l'insuffisance de la théorie de d'Alembert est visible d'ailleurs au premier coup d'oeil: la grandeur et la direction actuelle des vents dépendraient en effet, suivant elle, aujourd'hui encore, de l'état initial des couches atmosphériques, sans que les frottements et les chocs renouvelés depuis le commencement du monde en aient dissipé l'influence. Le prix accordé à d'Alembert fut-il donc le résultat d'une méprise, et le titre de membre de l'Académie de Berlin était-il immérité? Il y aurait grande injustice à le croire. Dans l'ouvrage sur la cause des vents on reconnaît à chaque page le grand géomètre profondément instruit de la science du mouvement et capable d'ouvrir des voies nouvelles. De tels essais précèdent les chefs-d'oeuvre et les préparent, parce qu'ils perfectionnent l'instrument des recherches en enseignant à le manier avec plus d'élégance et de sûreté.

D'Alembert, suivant les conséquences de son principe de dynamique, en a fait l'application à la théorie de la précession des équinoxes, et son livre sur ce sujet difficile suffirait pour le rendre immortel.

Les pôles de la terre, à moins de chocs que rien ne fait prévoir dans l'avenir et que rien ne prouve dans le passé, sont immobiles à la surface; ceux du ciel, au contraire, se déplacent sans cesse par rapport aux étoiles fixes. C'est la grande découverte d'Hipparque. Le pôle, autour duquel semble tourner le ciel, parcourt un petit cercle dont le rayon mesure 23° 1/2 et, s'avançant de 50" environ par an, en fera le tour en vingt-six mille ans. L'équateur, perpendiculaire à la ligne des pôles, tourne nécessairement avec elle; en vertu de cette rotation, il coupe le plan écliptique, qui est fixe, en des points variables. Ces points sont les équinoxes, qui comme le pôle, par conséquent, accompliront leur révolution en vingt-six mille années.

Les observations astronomiques confirment la prédiction hardie du grand astronome de l'antiquité. Les siècles succèdent aux siècles et l'équinoxe continue sa marche uniforme. Quelle force produit et règle son mouvement? La question pour Képler n'aurait pas eu de sens. Heureux et fier de pénétrer le mécanisme du monde, il n'avait pas l'audace de chercher les causes. Newton a révélé le ressort; c'est à la mécanique à en chercher les effets. La terre chaque année tourne autour du soleil. C'est qu'elle est attirée par lui; sans cette attraction insuffisante à les réunir, animés par les vitesses acquises, les deux corps s'éloigneraient indéfiniment. Le soleil, en attirant la terre, n'est pas la cause de la rotation qui produit les jours et les nuits; il ne pourrait, si la terre était homogène et sphérique, ni l'accélérer ni la ralentir. Mais sur un globe aplati et hétérogène l'action est déviée et, ne s'exerçant pas exactement vers le centre, produit une rotation qui déplace chaque jour d'une quantité inappréciable aux observations la position de l'axe du monde. Newton a signalé cette cause incontestée du phénomène. D'Alembert l'a soumise au calcul. Écoutons Laplace, en pareille matière le grand juge. «La découverte de ces résultats, dit-il après avoir expliqué le détail du phénomène, était au temps de Newton au-dessus des moyens de l'analyse et de la mécanique; il fallait en inventer de nouveaux. L'honneur de cette invention était réservé à d'Alembert. Un an et demi après la publication de l'écrit dans lequel Bradley présenta sa découverte, d'Alembert fit paraître son traité de la précession des équinoxes, ouvrage aussi remarquable dans l'histoire de la mécanique céleste et de la dynamique, que l'écrit de Bradley dans les annales de l'astronomie.»

D'Alembert en suivant sa voie devait rencontrer les plus grands problèmes de la mécanique céleste. Les questions depuis Newton étaient nettement posées, et nul mieux que lui n'était préparé à la lutte. Le traité de dynamique de d'Alembert est l'annonce et en quelque sorte le prologue de la mécanique analytique, chef-d'oeuvre de Lagrange. Les écrits de d'Alembert sur le système du monde forment un traité de mécanique céleste dans lequel Laplace, qui l'a loyalement reconnu, a largement et fructueusement puisé. D'Alembert a repris la théorie de la lune esquissée seulement par Newton. Le problème appartenait à tous; si Clairaut et Euler, en l'abordant en même temps que lui, y ont rencontré les mêmes succès, il faut se garder d'en conclure qu'il fût facile. Newton y avait échoué, et les forces réunies des trois nouveaux athlètes ont laissé à leurs successeurs un vaste champ à parcourir. Les observations se perfectionnent; après les degrés sont venues les minutes, après les minutes les secondes, et aujourd'hui les dixièmes de seconde. Les calculateurs prétendent tout expliquer et y réussissent; c'est en astronomie surtout que les détails sont la pierre de touche des théories. L'accord dans la théorie de la lune n'a pas été immédiat, et l'observation, en démentant d'abord le calcul, a éveillé de grandes émotions et provoqué d'ardentes discussions.

Diderot ne faisait qu'en rire et, sans rien entendre à la question, se faisait lire en la discutant. «Ce qu'il y a d'utile en géométrie peut, disait-il, s'apprendre en six mois. Le reste est de pure curiosité.»

Cela est vrai sans doute. Mais la poésie, la peinture, la métaphysique et bien d'autres produits de l'activité humaine sont aussi de pure curiosité; si l'on doit pour cela les envelopper dans un même dédain, la barbarie deviendra l'idéal des sages et le voeu des gens sensés. «Il n'existe dans la nature, ajoute Diderot, ni surface sans profondeur, ni ligne sans largeur, ni point sans dimensions, ni aucun corps qui ait cette régularité hypothétique du géomètre Dès que la question qu'on lui propose le fait sortir de ses suppositions, dès qu'il est forcé de faire entrer dans la solution d'un problème l'évaluation de quelques causes ou qualités physiques, il ne sait plus ce qu'il fait.»

«Si le calcul s'applique si parfaitement à l'astronomie—c'est toujours Diderot qui parle—-c'est que la distance immense à laquelle nous sommes placés des corps célestes réduit leurs orbes à des lignes presque géométriques. Mais prenez le géomètre au toupet et approchez-le de la lune d'une cinquantaine de diamètres terrestres: alors, effrayé du balancement énorme et des terribles alternatives du globe lunaire, il trouvera qu'il y a autant de folie à lui proposer de tracer la marche de notre satellite dans le ciel que d'indiquer celle d'un vaisseau dans nos mers quand elles sont agitées par la tempête.»

L'imagination de Diderot le sert mal. Les géomètres ont depuis le traité de d'Alembert perfectionné sans cesse les calculs dont il a nettement donné le principe. Glairaut et Euler ses contemporains, Lagrange et Laplace, et, après eux, Plana, Damoiseau, Hansen, Delaunay et Adams ont inscrit leurs noms dans l'histoire de la science en consacrant de nombreuses années à perfectionner et à refaire cette théorie rebelle aux formules. La longueur des calculs dépasse toute prévision et s'accroît sans cesse. Pour l'astronome aujourd'hui tout est fait, rien n'est ébauché pour le géomètre.

Un problème très connu et par comparaison très facile donnera la clef de l'énigme. La quadrature du cercle est en géométrie comme la pierre philosophale en chimie, la chose impossible; les ignorants seuls osent la chercher, et quand ils l'ont péniblement trouvée, il leur faut de nouveau de longs efforts pour décider un savant véritable à leur montrer, en entrant au détail, l'illusion de leur découverte. Les académies depuis longtemps rejettent avec dédain, sans en avoir pris connaissance, toute annonce d'une solution nouvelle. Le problème est classé comme insoluble. Archimède l'a résolu pourtant, précisément comme d'Alembert a résolu celui du mouvement de la lune, et, depuis deux mille ans, quiconque ne se contente pas de l'exactitude acquise peut, sans effort d'esprit, trouver, autant qu'il lui plaît, de nouveaux chiffres exacts et certains. Le rayon du cercle étant donné, la surface est connue avec une précision illimitée; on peut partager un millimètre carré en un million de parties égales, et chaque partie, de nouveau, en un million de parties nouvelles, recommencer cinquante fois la division; le résultat imperceptible de toutes ces opérations de l'esprit restera, si le calculateur le veut, supérieur à l'erreur commise. Que demande-t-on de plus? Pourquoi traiter d'insoluble un problème si parfaitement résolu? La réponse est bien simple: le géomètre veut une erreur nulle. Entre zéro pour lui et l'extrême petitesse, d'après les règles du jeu qu'il veut jouer, il y a un abîme. Une solution n'est pas plus ou moins parfaite, elle est exacte ou inexacte. L'histoire du problème des trois corps est semblable.

Les travaux mathématiques de d'Alembert sont innombrables. Nous ne pouvons en faire le résumé. Il est impossible même de citer ceux qui pourraient, en l'absence de tout autre titre, assurer à son nom une place élevée dans l'histoire de la science. Ses études sur les cordes vibrantes sont du nombre.

Taylor avant d'Alembert avait résolu le problème; Euler, Bernouilli et Lagrange s'y sont exercés après lui. Après de longues et subtiles discussions, leur désaccord a souvent subsisté.

Une gloire incontestable reste à d'Alembert: il a créé à l'occasion de ce problème de physique une méthode nouvelle d'analyse. D'Alembert est le créateur de la théorie si féconde des équations aux dérivées partielles.

Il faut dire toute la vérité. L'esprit de d'Alembert, ingénieux et profond sur toutes les parties de la science, se refusait sur l'une d'elles aux démonstrations les plus claires. Il a toujours repoussé les principes du calcul des probabilités, et, dans ses discussions plusieurs fois répétées avec Daniel Bernouilli, la postérité ne peut refuser à son illustre adversaire l'avantage d'avoir eu raison sur tous les points.

Malgré les travaux de Pascal, d'Huygens et de Jacques Bernouilli, d'Alembert refuse de voir dans le calcul des probabilités une branche légitime des mathématiques. Le problème qui fut le point de départ de ses doutes et l'occasion de ses critiques est resté célèbre dans l'histoire de la science sous le nom de «problème de Saint-Pétersbourg». On suppose qu'un joueur, Pierre, jette une pièce en l'air autant de fois qu'il faut pour amener face. Le jeu s'arrête alors et il paye à son adversaire Paul, 1 franc s'il a suffi de jeter la pièce une fois, 2 francs s'il a fallu la jeter deux fois, 4 francs s'il y a eu trois coups, puis 8 francs, 16 francs, et ainsi de suite en doublant la somme chaque fois que l'arrivée de face est retardée d'un coup. On demande combien Paul doit payer équitablement en échange d'un tel engagement?

Le calcul fait par Daniel Bernouilli, qui avait proposé le problème, exige que l'enjeu de Paul soit infini. Quelque somme qu'il paye à Pierre avant de commencer le jeu, l'avantage sera de son côté; tel est le sens du mot infini. Ce résultat, quoique rigoureusement démontré, semble contraire aux indications du bon sens. Aucun homme raisonnable ne voudrait payer cent francs les promesses de Pierre.

L'esprit de d'Alembert, pour repousser ce paradoxe, rejetait avec dédain les principes qui y conduisent, en proposant, pour en nier la rigueur et en contester l'évidence, les raisonnements les moins fondés et les plus singulières objections. Il refuse, par exemple, aux géomètres le droit d'assimiler dans leurs déductions cent épreuves faites successivement avec la même pièce à cent autres faites simultanément avec cent pièces différentes. «Les chances, dit-il, ne sont pas les mêmes dans les deux cas», et la raison qu'il en donne est fondée sur un singulier sophisme:

«Il est très possible, dit-il, et même facile de produire le même événement en un seul coup autant de fois qu'on le voudra, et il est au contraire très difficile de le produire en plusieurs coups successifs, et peut-être impossible, si le nombre des coups est très grand.»

«Si j'ai, ajoute d'Alembert, deux cents pièces dans la main et que je les jette en l'air à la fois, il est certain que l'un des coups croix ou pile se trouvera au moins cent fois dans les pièces jetées, au lieu que, si l'on jetait une pièce successivement en l'air cent fois, on jouerait peut-être toute l'éternité avant de produire croix ou pile cent fois de suite.» Est-il nécessaire de faire remarquer que les deux cas assimilés sont entièrement distincts, et que jeter deux cents pièces en l'air pour choisir après coup les cent qui tournent la même face, c'est absolument comme si l'on jetait en l'air une pièce deux cents fois de suite, en choisissant après, pour les compter seules, les épreuves qui ont fourni le résultat désiré? Dans cette discussion, qui d'ailleurs n'occupe qu'une bien faible place parmi ses opuscules, d'Alembert se trompe complètement et sur tous les points. Son esprit, désireux de lumière, toujours prêt à déclarer impénétrable ce qui lui semble obscur, était plus qu'un autre exposé au péril de condamner légèrement les raisonnements si glissants et si fins du calcul des chances. Quant au paradoxe du problème de Saint-Pétersbourg, il disparaît entièrement lorsqu'on interprète exactement la réponse du calcul: une convention équitable n'est pas une convention indifférente pour les parties; cette distinction éclaircit tout. Un jeu peut être à la fois très juste et très déraisonnable. Supposons, pour mettre cette vérité dans tout son jour, que l'on propose à mille personnes possédant chacune un million de former en commun un capital d'un milliard, qui sera abandonné à l'une d'elles désignée par le sort, toutes les autres restant ruinées. Le jeu sera équitable, et pourtant aucun homme sensé n'y voudra prendre part. En termes plus simples et plus évidents encore: un très gros jeu est insensé sans être inique.

Le problème de Saint-Pétersbourg offre, sous l'apparence d'un jeu très modéré, dans lequel on doit vraisemblablement payer quelques francs seulement, des conventions qui peuvent, dans des cas qui n'ont rien d'impossible, rendre la perte colossale.

Les plus grands géomètres ont écrit sur le calcul des probabilités; presque tous ont commis des erreurs: la cause en est, le plus souvent, au désir d'appliquer des principes à des problèmes qui par leur nature échappent à la science.

D'Alembert commet la faute opposée: il nie les principes. Imposer aux hasards des lois mathématiques est pour lui un contresens; il rejette le problème et détourne les yeux. Les géomètres, sur ce point, n'avaient qu'un parti à prendre, celui de ne pas le lire. Il n'a jamais connu la question. Daniel Bernouilli l'a invité à se mettre au fait des matières dont il parle. D'Alembert l'a traité d'impertinent: ils avaient tous les deux raison.

Lorsque, trop confiant dans la théorie, on l'invoque dans des cas où elle n'a que faire, le scepticisme reprend l'avantage. La célèbre question de l'inoculation en offre un exemple.

L'inoculation, au XVIIIe siècle, avant la découverte de la vaccine, était pour les familles le parti le plus sage; l'étude des faits le rendait évident, mais il ne fallait pas mêler de formules à la discussion: telle est la thèse de d'Alembert. Il l'a, selon sa coutume, soutenue avec chaleur et esprit; il adopte la bonne cause et combat ceux qui la défendent mal; nous ne devons pas passer sous silence ce rôle qui lui fait honneur.

La question de fait domine tout; elle repose sur des chiffres incertains. Les statistiques n'étaient pas d'accord. D'Alembert, dont la conclusion est résolument favorable à l'inoculation, allègue surtout le très petit nombre des décès, fort inférieur, suivant les renseignements les plus certains, à celui qu'on avait proposé d'abord en conseillant pourtant de braver le danger.

Sur deux cents inoculés, avait dit Daniel Bernouilli, il en meurt un en moyenne dans le mois qui suit l'opération.

Si cela était vrai, répond d'Alembert, il faudrait laisser chacun libre. «Chacun, comme dit Pantagruel, serait arbitre de ses propres pensées et de soy-même prendrait conseil»; mais le chiffre est exagéré. Les précautions chaque jour mieux connues ont rendu le nombre des victimes dix fois moindre et pourront le réduire encore.

Sans insister sur ces chiffres douteux, la thèse qu'il soutient est celle-ci:

L'évaluation de la vie moyenne n'a pour une telle question rien qui soit décisif. Il n'est pas vrai que, la vie moyenne étant supposée, par exemple, de vingt-cinq ans pour les hommes de trente ans bien portants, toute innovation qui la portera à vingt-sept ans doive être acceptée comme un avantage.

Supposons, pour écarter toute hésitation, que la petite vérole soit la seule maladie mortelle; on sait guérir toutes les autres; quiconque ne meurt pas de celle-là atteindra l'âge de cent ans. Les ravages de cette maladie unique sont cependant terribles; ils réduisent de quatre-vingts ans à soixante la vie moyenne d'un homme de vingt ans. L'inoculation—c'est l'hypothèse—fait mourir, le lendemain du jour où elle est pratiquée, le cinquième de ceux qui s'y exposent. La vie moyenne, si tous se font inoculer à vingt ans, s'élèvera—le calcul est facile—de soixante ans à soixante-quatre. Qui oserait cependant, dans de telles conditions, je ne dis pas conseiller, mais pratiquer l'opération? Quel médecin consentirait à se présenter dans une ville, offrant à mille habitants jeunes et bien portants d'accroître de quatre ans leur vie moyenne, en se faisant accompagner de deux cents cercueils destinés à recevoir le lendemain ceux qui n'auront pas acquis la certitude de vivre cent ans?

L'accroissement de la vie moyenne semblerait fort indifférent. Devant la crainte de mourir demain, quels que soient les raisonnements, disparaissent toutes les espérances et toutes les craintes relatives aux quatre-vingts années qui suivent.

D'Alembert dans ses écrits mathématiques manque d'élégance et de clarté. Comment ce savant universel, nourri aux études classiques, habile à disserter spirituellement et avec éloquence sur les sujets les plus divers, cet écrivain célèbre pour la vigueur et la précision de son style, perd-il son habileté et sa grâce en rédigeant ses belles découvertes? Je hasarderai une explication. D'Alembert à aucune époque de sa vie n'a voulu être professeur. Au sortir du collège et pendant ses études en droit, grâce aux 1200 livres léguées par son père, il diminuait, en la partageant, la gêne de ses parents adoptifs. Leur ordinaire de pauvres artisans suffisait à la simplicité de ses goûts. Résigné comme son ami Diderot à revêtir souvent un costume en désaccord avec la saison, il n'a jamais consenti comme lui à échanger son temps contre un salaire. Diderot nous apprend sans embarras que, profitant de toute occasion, il enseignait pour gagner le pain quotidien les sciences aussi volontiers que les lettres.

«Que faisiez-vous dans l'allée des Soupirs?

—Une assez triste figure.

—Au sortir de là vous battiez le pavé.

—D'accord.

—Vous donniez des leçons de mathématiques.

—Sans en savoir un mot. N'est-ce pas là que vous voulez en venir?

—Justement.

—J'apprenais en montrant aux autres et j'ai fait quelques bons élèves.»

D'Alembert, en cela comme sous beaucoup d'autres rapports, *dissemblait* de son ami Diderot: Diderot enseignait les mathématiques sans les savoir; d'Alembert les savait, mais n'a jamais voulu vendre une heure de son temps.

«Demandez, dit ailleurs à Diderot le neveu de Rameau, son cynique interlocuteur, demandez à votre ami d'Alembert, le coryphée de la science mathématique, s'il serait trop bon pour en faire les éléments.» D'Alembert ne se posait pas la question, jamais il n'a formé d'élève, et jamais, dans le désir d'être compris des intelligences paresseuses et rebelles, il n'a fait effort pour être, comme disait Descartes, transcendentalement clair.

On raconte qu'un jeune homme abordant le calcul différentiel y rencontrait des contradictions qui, s'il est mal enseigné, peuvent réellement s'y trouver. Il osa consulter d'Alembert, illustre déjà et, comme disait Diderot, coryphée admiré des sciences mathématiques. La réponse est restée célèbre: «Allez en avant, la foi vous viendra».

Ce mot brillant, mais dépourvu de toute vérité, explique assez bien les défauts de d'Alembert. Il se réserve d'éclairer chaque page par la lecture de la suivante; c'est ce qu'on appelle manquer de méthode.

Si d'Alembert n'avait pas toujours dans ses compositions géométriques le style net et précis d'Euclide, il réunissait à un haut degré, avec une réputation toujours croissante, les qualités désirées dans un secrétaire perpétuel de l'Académie des sciences. Trop jeune pour remplacer Fontenelle, il aurait été, s'il l'avait voulu, le successeur de Mairan ou celui de Grandjean de Fouchy. Plusieurs fois dans sa correspondance il fait allusion pour les démentir aux bruits répandus à ce sujet. La voix publique une première fois le désignait pour remplir une place que le titulaire n'avait pas le désir de quitter. D'Alembert ne pouvait admettre qu'on lui prêtât de telles intentions. Il écrivait à Mme du Deffant, amie dévouée de celui qui, bien ou mal, comme dit d'Alembert, occupait la place:

«Je suis toujours et plus que jamais dans les dispositions où vous m'avez vu de ne rien demander; je ne pense point du tout, et n'ai jamais pensé à la place de secrétaire de l'Académie des sciences, je serais très fâché, quand je le pourrais, d'en dépouiller celui qui la remplit bien ou mal. Je ne veux point non plus aller sur les brisées de Montigny qui, je crois, pense à cette place, en cas que Dieu ou M. d'Argenson, sous sa figure, dispose du titulaire; si j'ai fait la préface de l'Encyclopédie, ç'a été pour contribuer de mon mieux au bien de l'ouvrage; à l'égard des deux éloges (allégués comme preuve de sa candidature), je ne les ai faits que parce que les auteurs du *Mercure* me les ont demandés. Je n'ai eu dans tout cela aucune vue d'intérêt et de fortune et point d'autre que de prouver qu'on peut être géomètre et avoir le sens commun.

«Êtes-vous contente à présent, madame, et me condamnerez-vous sur la parole de M. Simard, car, selon ce que l'abbé Canaye m'écrit, je vois que vous êtes fort en colère. Je lui pardonne cette démarche, parce qu'il n'a point eu envie de me désobliger; je vous pardonne même de l'avoir cru, mais je ne vous pardonnerais pas de le croire encore.»

Il écrivait plus tard à Lagrange: «Depuis que je vous ai écrit, j'ai acquis une dignité, celle de secrétaire de l'Académie française, vacante par la mort de mon ami Duclos. Cette place n'est pas fort avantageuse, mais en récompense elle donne peu de besogne à faire, ce qui me convient fort dans l'état où je suis. Il n'en est pas de même de la place de secrétaire de notre Académie des sciences, qui vraisemblablement ne tardera pas à vaquer, et que je travaille à faire retomber à notre ami Condorcet qui la remplira merveilleusement.»

D'Alembert, élu à l'Académie française en 1755, sans jamais délaisser la science, portait depuis longtemps vers les lettres, la philosophie et les polémiques de parti la plus grande part de son activité. Le dévouement de d'Alembert pour ceux qu'il aimait était sans limite et toujours prêt, mais il aimait peu de monde. Jovial et familier avec les indifférents, il avait le don de leur plaire, les traitait en amis sans s'engager à rien, et sa verve satirique, qui souvent dépassait sa pensée, prenait en s'exerçant sur eux l'apparence d'une trahison.

Il se plaisait peu parmi ses confrères de l'Académie des sciences et, sans vouloir s'en faire des ennemis, parlait souvent d'eux comme s'ils l'avaient été.

Sa correspondance avec Lagrange est toute scientifique; l'Académie des sciences y semble occuper le centre de ses pensées et de sa vie. Dans la liberté d'un commerce intime, il dit sans y attacher d'importance ce qu'il pense de chacun. Le secrétaire perpétuel, Grandjean de Fouchy, dont il destine la succession à son ami Condorcet, est négligent et inepte. L'épithète de Viédaze semble faite pour lui comme celle de: aux pieds légers, pour Achille. Quand le nom de Lalande se rencontre sous sa plume, une épithète injurieuse le précède ou le suit. Les éditeurs de la correspondance ont remplacé l'une d'elles par des points; nous imiterons leur réserve. Lagrange, en apprenant par un tiers la réconciliation de d'Alembert avec celui qu'il traitait si mal, marque un étonnement bien naturel. D'Alembert lui répond: «A propos de Lalande, il est vrai que nous sommes raccommodés parce qu'il en a témoigné un grand désir et qu'au fond je suis bon diable». Le mot est très juste; d'Alembert a des colères et des mots piquants, il dit sur tous toute la vérité, mais n'en veut à personne.

Le vaniteux Fontaine, quoi qu'en ait dit Diderot, n'était ni estimé ni aimé de d'Alembert. Il en parle souvent avec dédain, et quand il annonce sa mort à Lagrange, c'est avec plus que de l'indifférence. «Monsieur Fontaine est mort dans un état fort misérable, accablé de dettes et même ruiné; le tout par sa faute et pour avoir eu la vanité de vouloir être seigneur de paroisse et d'avoir acheté pour cela une terre qu'on lui a vendue un prix fou et qu'il n'a pas pu payer.

«C'était un homme de génie, mais d'ailleurs un fort vilain homme. La société gagne à sa mort encore plus que la géométrie n'y perd.» Fontaine n'était pas un homme de génie, d'Alembert le savait bien, mais il fallait aiguiser la pointe de l'épigramme.

Lagrange répond:

«J'ai été fort touché de la mort de M. Fontaine et surtout des circonstances qui l'ont accompagnée, quoiqu'il se fût déchaîné contre moi sans rime ni raison. Le souvenir de ses anciennes bontés pour moi m'empêchait cependant de lui vouloir du mal.»

Les traits lancés par d'Alembert contre ses confrères sont continuels. Lorsque Lagrange est nommé associé étranger de l'Académie des sciences, une voix manque à l'unanimité. C'est celle d'un médecin nommé Hérissent, «très plat sujet et bien méchant bougre».

Lorsque l'Académie choisit l'abbé Bossut, géomètre estimable, auteur d'une très bonne histoire des mathématiques, d'Alembert écrit en annonçant ce choix:

«Nous avions pourtant grand besoin de géomètres.» Deparcieux, homme à projets utiles, que Voltaire a appelé grand géomètre, est caractérisé par d'Alembert comme un de ces hommes qu'il est bon d'avoir dans les Académies afin que les gens en place soient persuadés qu'elles sont bonnes à quelque chose.

D'Alembert d'ailleurs—c'est à la fois une explication et une excuse—n'épargne pas à ses propres ouvrages ses jugements dédaigneux ou sévères. «Je m'amuse, écrit-il à Lagrange, à faire imprimer deux volumes d'opuscules qui comprennent tous les rogatons géométriques que j'imprime, pour m'en débarrasser, comme les femmes qui épousent leurs amants pour s'en défaire.»

Je ne quitterai pas la correspondance entre d'Alembert et Lagrange sans y relever un trait piquant qui trouverait difficilement place ailleurs.

D'Alembert protégeait et aimait le jeune Lagrange; il avait, lors d'un voyage de Turin à Paris, recommandé le grand géomètre à son ami Voltaire, dont le domaine des Délices se trouvait sur la route. Le jeune protégé de d'Alembert, accueilli gracieusement par l'auteur de *la Henriade*, de *Zaïre*, de *l'Essai sur les moeurs* et de *Candide*, il y en avait pour tous les goûts, ne parut nullement ébloui. Il écrit à d'Alembert: «J'ai passé par Genève, comme je me l'étais proposé, et, à la faveur de votre recommandation, j'ai eu l'honneur de dîner chez Monsieur de Voltaire, qui m'a fait un très gracieux accueil. Il était ce jour-là en humeur de rire et ses plaisanteries tombaient toujours, comme de coutume, sur la religion, ce qui amusa beaucoup toute la compagnie. C'est, en vérité, un original qui mérite d'être vu.»

Voltaire n'a pas même remarqué le géomètre; le nom de Lagrange dans ses lettres n'est pas prononcé. On l'aurait bien surpris en lui prédisant que ce jeune homme insignifiant, qui le trouvait curieux à voir, occuperait dans l'histoire de l'esprit humain une place plus haute sinon plus grande que la sienne.

L'esprit de d'Alembert est complexe, mais son coeur est facile à connaître. L'effort nécessaire pour la dissimulation dépassait ses forces. Ses amitiés, ses amours, ses dédains et ses haines, son incrédulité et son scepticisme étaient connus de quiconque l'approchait, et lorsque, désireux de tranquillité, il prenait la résolution d'être correct et prudent, il ne tardait pas à rire de lui-même, comme il voulait rire de Tout.

CHAPITRE III

D'ALEMBERT ET L'ENCYCLOPÉDIE

Dans la satire trop vantée de l'envieux Gilbert, dont, par une rare et injuste fortune, les vers ingénieusement méchants sont presque tous demeurés célèbres, on a souvent cité le trait lancé au froid d'Alembert:

On ne saurait plus mal dire. Les amis de d'Alembert le traitaient d'illustre, les envieux s'inclinaient devant lui. Sa gloire était certaine, il ne pouvait fermer les yeux à l'évidence, il était grand, jamais il ne fut fier.

Simple et sans prétentions, il comprenait tout et s'intéressait à tout. Son rire étincelant bravait les lois du décorum; prompt à saisir les ridicules, habile à les imiter, excellent mime, quelquefois bouffon, d'Alembert se plaisait à l'étonnement de ceux qui mesurent l'importance d'un personnage à la dignité de ses manières.

Diderot, dont l'influence fit partager à d'Alembert la tâche immense de l'Encyclopédie, avait avec lui, malgré la grande différence de caractère et de talent, un fonds d'idées communes qui les rapprochaient et pouvaient maintenir leur amitié. Libres tous deux de toute ambition, avec la même ardeur pour l'étude et pour les travaux de l'esprit, ils étaient également curieux de science, d'art, de littérature, de philosophie, en enveloppant dans un même scepticisme toutes les questions qui, de près ou de loin, appartiennent à la théologie. L'exemple de leur vie et de leur noble caractère peut servir d'argument sans réplique à qui voudra convaincre les esprits les plus prévenus que la bonté, le dévouement, le désintéressement et la vertu ne sont l'apanage d'aucune secte, le privilège d'aucune croyance.

L'Encyclopédie fut d'abord une entreprise de librairie. Les polémiques religieuses n'inspiraient à d'Alembert qu'éloignement et dédain. Satisfait de penser librement, il ne demandait aux autres que la tolérance, mais il la voulait pour lui-même et pour tous. C'était une déclaration de guerre.

L'Encyclopédie anglaise de Chambers, à Londres, enrichissait les éditeurs. Le premier projet était de la traduire. Diderot avait fait ses preuves. Il ne traduisait pas, il transformait. En prêtant à un auteur obscur l'éclat de son propre style et la hardiesse de ses pensées, il ne trahissait que lui-même; sa plume infidèle ne pouvait rien écrire de médiocre.

La tâche, même restreinte au programme primitif, était immense. En s'associant d'Alembert d'abord, puis une petite armée, dont il devint l'âme, Diderot ne prévoyait pas la campagne retentissante qu'il devait diriger. D'Alembert, soucieux de son repos, aurait refusé de s'y associer.

L'ordre alphabétique était adopté.

On comprend mal la convenance d'associer le tableau des idées et du savoir humain à une série d'articles se succédant sans ordre ni méthode.

Les éditeurs pensaient autrement, et le discours préliminaire, en assignant dans chaque science la place de chaque question, et à chaque science sa place dans le développement de l'esprit humain, devait corriger, en instruisant le lecteur, le défaut de méthode accepté pour la commodité des recherches. Un chef-d'oeuvre d'ailleurs est toujours bienvenu. Diderot en attendait un de d'Alembert. Uniquement soucieux de l'intérêt de l'oeuvre, au-dessus, par son caractère, de la vanité et même de l'orgueil, il lui importait surtout de préparer un succès à son ami.

Le discours préliminaire servant de préface à l'Encyclopédie contient, dit d'Alembert, la quintessence des connaissances mathématiques, philosophiques et littéraires acquises par vingt années d'études. Il fait ainsi remonter ses méditations au jour de son entrée au collège des Quatre-Nations.

Le discours contient deux parties distinctes: l'exposition détaillée de l'ordre dans lequel sont nées les diverses branches du savoir humain, et le tableau historique du progrès depuis la Renaissance jusqu'à nos jours. Le premier problème est insoluble. Nous ne savons les origines en aucun genre. Il faut donc deviner. On est certain de proposer des vérités douteuses, certain aussi de n'être pas convaincu d'erreur.

Toutes nos connaissances viennent par les sens, tel est le point de départ de d'Alembert. La précision n'est qu'apparente, l'assertion est vague. Veut-on dire qu'un aveugle, sourd et muet de naissance, dépourvu des organes du toucher, nourri par une sonde, n'acquerrait, s'il pouvait vivre, qu'un bien petit nombre d'idées?

On l'accordera sans peine.

Les sens sont nécessaires assurément. Tout vient-il d'eux? et qu'entend-on par là?

Les sens des animaux valent les nôtres pour le moins: la source des idées pour eux n'est donc pas moins riche que pour nous. Pourquoi n'arrivent-ils pas à nous égaler? Helvétius a fait l'objection et trouvé la réponse. Les animaux n'ont pas de mains.

L'idée du moi est la première. La première chose que nos sensations nous apprennent, c'est notre existence. Les sensations sont-elles indispensables? Pourrait-on concevoir un être intelligent dépourvu, faute de sensations, du sentiment de sa propre existence?

Après avoir connu notre propre existence, nous devons à nos sensations la connaissance des objets extérieurs et, parmi eux, celle de notre corps; un sentiment irrésistible nous fait croire à la réalité de ces objets. D'Alembert, à l'appui de cette idée, propose un singulier argument.

N'ayant aucun rapport, dit-il, entre chaque sensation et l'objet qui l'occasionne ou du moins auquel nous le rapportons, il ne paraît pas qu'on puisse prouver par le raisonnement de passage possible de l'un à l'autre. Il n'y a qu'une espèce d'instinct plus sûr que la raison même qui puisse nous forcer à franchir un si grand intervalle.

N'est-on pas tenté de traduire ainsi: la croyance à la réalité des objets extérieurs n'est pas justifiable par la raison; elle n'en est que plus certaine?

Toutes les routes conduisent d'Alembert au scepticisme. Il ne lui semble pas qu'on puisse avoir d'idée distincte, moins encore d'idée complète ni de la matière ni d'autre chose. «Quand je me perds dans mes réflexions à ce sujet, écrivait-il vingt ans plus tard, ce qui m'arrive toutes les fois que j'y pense, je suis tenté de croire que tout ce que nous voyons n'est qu'un phénomène qui n'a rien, hors de nous, de semblable à ce que nous imaginons, et j'en reviens toujours à la question du roi indien: Pourquoi y a-t-il quelque chose?»

Le grand Ampère, qui, plus souvent que d'Alembert et avec plus de confiance et plus d'espoir, aimait à s'égarer dans les ténèbres de la métaphysique, trouvait aussi la différence entre les *phénomènes* et les *noumènes* difficile et incertaine.

La question change de nom sans avancer d'un pas. C'est le problème du moi et du non-moi. Quand les savants s'embarrassent pour le résoudre, on pourrait leur répondre, en parodiant le vers d'un grand poète:

Il faut pour *l'ignorer* avoir fait ses études.

L'étude des objets extérieurs est le premier soin de l'homme: elle a pour origine la nécessité de garantir notre propre corps de la douleur et de la destruction. Il faut donc, avant tout, chercher ce qui nous est utile ou nuisible. Cette recherche nous révèle nos semblables et nous sommes attirés vers eux.

L'explication du rapprochement des hommes est étrange, il faut l'avouer. Mais ce qui suit l'est plus encore. L'homme cherche l'homme, on en convient sans peine; mais que trouve-t-il? L'injustice et le vice, dont la vue lui enseigne la justice et la vertu. «Le mal que nous éprouvons par les vices de nos semblables, produit en nous la connaissance réfléchie des vertus opposées, connaissance précieuse dont une union et une égalité parfaite nous auraient peut-être privés. De l'idée de vertu l'homme s'élève à comprendre la spiritualité de l'âme, l'existence de Dieu et nos devoirs envers lui.»

Malgré l'intérêt de ces hautes vérités, il ne faut pas, comme on l'a dit plaisamment, que le corps soit la dupe de l'immortalité de l'âme.

Telle est l'origine de l'agriculture, de la médecine et des arts nécessaires. Avides de connaissances utiles, les premiers hommes ont dû écarter d'abord toute spéculation oisive; mais l'étude de la nature entreprise pour nous donner le nécessaire fournit avec profusion à nos plaisirs. La satisfaction d'apprendre des vérités même inutiles est une espèce de superflu qui supplée à ce qui nous manque. En recueillant ce superflu pour goûter l'amusement qui s'y attache, l'esprit humain rencontre la physique et la mécanique, et l'abstraction des propriétés sensibles autres que l'étendue fait naître la géométrie.

Cette science est le terme le plus éloigné où la contemplation des propriétés de la matière puisse nous conduire, et nous ne pourrions aller plus loin sans sortir de l'univers matériel; mais telle est la marche de l'esprit dans ses recherches, qu'après avoir généralisé les perceptions, il revient sur ses pas, recompose de nouveau les perceptions mêmes, et en forme peu à peu et par gradation des êtres réels qui sont l'objet immédiat et direct de nos sensations. La physique mathématique, l'astronomie et, quand le raisonnement se trouve impuissant à tout enchaîner, la physique expérimentale, sont nées de ce mouvement rétrograde fait par l'esprit.

Entre les limites très éloignées de nos «connaissances certaines, dont l'une est l'idée de nous-même et l'autre cette partie des mathématiques qui a pour objet les propriétés générales des corps, se trouve un intervalle immense ou l'intelligence suprême semble avoir voulu se jouer de la curiosité humaine, tant par les nuages qu'elle y a répandus sans nombre que par quelques traits de lumière qui semblent échapper de distance en distance pour nous attirer.

«La nature de l'homme, dont l'étude est si nécessaire, est un mystère impénétrable à l'homme même quand il n'est éclairé que par la raison seule.

«Rien ne nous est donc plus nécessaire qu'une religion révélée qui nous instruise sur tant de divers objets. Destinée à servir de supplément à la connaissance naturelle, elle nous montre une partie de ce qui était caché, mais elle se borne à ce qu'il nous est absolument nécessaire de connaître. Le reste est fermé pour nous et apparemment le sera toujours. Quelques vérités à croire, un petit nombre de préceptes à pratiquer, voilà à quoi la religion révélée se réduit: néanmoins, à la faveur des lumières qu'elle a communiquées au monde, le peuple même est plus ferme et plus décidé sur un grand nombre de questions intéressantes que ne l'ont été toutes les sectes de philosophes.»

Les lecteurs de l'Encyclopédie étaient prévenus. Ces lignes marquent aussi franchement qu'on pouvait le faire sans imprudence tout le programme théologique; pour un pas de plus dans cette voie la porte se serait fermée.

Quelquefois cependant, mais avec moins de légèreté, d'Alembert imite le tour habituel de Voltaire. «D'ailleurs, dit-il plus loin, quelque absurde qu'une religion puisse être (reproche que l'impiété seule peut faire à la nôtre), ce ne sont jamais les philosophes qui la détruisent. Lors même qu'ils enseignent la vérité, ils se contentent de la montrer sans forcer personne à la connaître.»

L'avantage que les hommes ont trouvé à étendre la sphère de leurs idées soit par leurs propres efforts, soit par le secours de leurs semblables, leur a fait penser qu'il serait utile de réduire en art la manière même d'acquérir des connaissances et celle de se communiquer réciproquement leurs pensées. Cet art a donc été trouvé et nommé *logique*. La science de la communication des idées ne se borne pas à mettre de l'ordre dans les idées mêmes; elle doit apprendre encore à exprimer chaque idée de la manière la plus nette. La science du langage est devenue nécessaire, et comme les hommes en se communiquant leurs idées cherchent aussi à se communiquer leurs passions, l'éloquence est une arme nécessaire. Faite pour parler au sentiment comme la logique et la grammaire parlent à l'esprit, elle impose silence à la raison même, mais les règles ici ne peuvent suppléer au talent, et le génie ne peut se réduire en préceptes. Il ne nous suffit pas de vivre avec nos contemporains et de les dominer pour embrasser le passé et l'avenir. De là, l'origine de l'histoire.

Les branches principales se divisent en une infinité d'autres, dont l'énumération serait immense et appartient plus à l'Encyclopédie qu'à la préface.

Les beaux-arts jusqu'ici n'ont pas été mentionnés. Est-il nécessaire de les définir et d'en chercher l'origine?

D'Alembert s'est donné la tâche de tout enchaîner logiquement.

«Il est, dit-il, une autre espèce de connaissances réfléchies dont nous devons maintenant parler. Elles consistent dans les idées que nous nous formons à nous-mêmes, en imaginant et composant des êtres semblables à ceux qui sont l'objet de nos idées directes. C'est ce qu'on nomme l'*imitation de la nature*, si connue et si recommandée par les anciens.»

Comme les idées directes qui nous frappent le plus vivement sont celles dont nous conservons plus vivement le souvenir, ce sont aussi celles que nous cherchons le plus à réveiller en nous par l'imitation de leurs objets. Si les objets agréables nous frappent plus, étant réels, que simplement représentés, ce qu'ils perdent d'agrément en ce dernier cas est en quelque manière compensé par celui qui résulte du plaisir de l'imitation. À l'égard des objets qui n'exciteraient, étant réels, que des sentiments tristes ou tumultueux, leur imitation est plus agréable que les objets mêmes, parce qu'elle nous place à cette juste distance où nous éprouvons le plaisir de l'émotion sans en ressentir le désordre; c'est dans cette imitation des objets capables d'exciter en nous des sentiments vifs ou agréables, de quelque nature qu'ils soient, que consiste, en général, l'imitation de la belle nature, sur laquelle tant d'auteurs ont écrit sans en donner d'idée nette.

Ce que nous savons de l'histoire semble s'accorder mal avec l'enchaînement exposé par d'Alembert. Il prévoit l'objection. Quand on considère depuis l'époque de la Renaissance les progrès de l'esprit humain, on trouve, dit-il, que les progrès se sont faits dans l'ordre qu'ils devaient naturellement suivre. Cet ordre est précisément le contraire de celui que propose le discours. En sortant d'un long intervalle d'ignorance que des siècles de lumière avaient précédé, la régénération des idées a dû nécessairement être différente de leur génération primitive.

Un grand poète a dit:

Le présent au hasard flotte sur le passé.

D'Alembert ne veut pas croire au hasard. La partie la plus brillante du discours préliminaire est le tableau tracé, d'après l'histoire, de la marche de l'esprit humain depuis son renouvellement par l'invention de l'imprimerie et l'émigration des savants du Bas-Empire apportant les richesses de l'antiquité. Le style convient au sujet; il est digne à la fois des grandes questions qu'on aborde, des grands hommes que l'on juge et du grand esprit qui révèle sa puissance.

«Les chefs-d'oeuvre que les anciens nous avaient laissés dans presque tous les genres, avaient été oubliés pendant douze siècles. Les principes des arts et des sciences étaient perdus, parce que le beau et le vrai, qui semblent se montrer de toutes parts aux hommes, ne les frappent guère à moins qu'ils ne soient avertis. Ce n'est pas que ces temps malheureux aient été plus stériles que d'autres en génies rares. La nature est toujours la même; mais que pouvaient faire ces grands hommes semés de loin en loin, comme ils le sont toujours, occupés d'objets différents et abandonnés sans culture à leurs lumières? Les idées qu'on acquiert par la lecture et par la société sont le germe de presque toutes les découvertes.

«C'est un air que l'on respire sans y penser et auquel on doit la vie; les hommes dont nous parlons étaient privés d'un tel secours.»

Celui qui inventa les roues et les pignons eût inventé les montres dans un autre siècle, et Gerbert au temps d'Archimède l'aurait peut-être égalé.

D'Alembert semble plus heureux qu'embarrassé de l'immensité de sa tâche. Il trace avec ardeur et vivacité le tableau des progrès de la poésie. Ses jugements parfois peuvent causer quelques surprises.

«Au lieu d'enrichir la langue française, on chercha d'abord à la défigurer. Ronsard en fit un jargon barbare, hérissé de grec et de latin; mais heureusement il la rendit assez méconnaissable pour qu'elle devînt ridicule.»

D'Alembert n'aurait-il pas mieux fait de passer Ronsard sous silence, comme il a fait de Clément Marot? Pour lui, comme pour Boileau, la poésie française commence à Malherbe.

Son admiration est sincère et l'inspire heureusement.

«Malherbe, nourri de la lecture des excellents poètes de l'antiquité, et prenant comme eux la nature pour modèle, répandit le premier dans notre poésie une harmonie et des beautés auparavant inconnues. Balzac, aujourd'hui trop méprisé, donne à notre prose de la noblesse et du nombre. Les écrivains de Port-Royal continuèrent ce que Balzac avait commencé; ils y ajoutèrent cette précision, cet heureux choix des termes et cette pureté qui ont conservé jusqu'à présent à la plupart de leurs ouvrages un air moderne et qui les distinguent d'un grand nombre de livres surannés écrits dans le même temps. Corneille, après avoir sacrifié pendant plusieurs années au mauvais goût dans la carrière dramatique, s'en affranchit enfin, découvrit par la force de son génie, bien plus que par la lecture, les lois du théâtre, et les exposa dans ses discours admirables sur la tragédie, dans ses réflexions sur chacune de ses pièces, mais principalement dans ses pièces mêmes. Racine, s'ouvrant une autre route, fit paraître sur le théâtre une passion que les anciens n'y avaient guère connue, et, développant les ressorts du coeur humain, joignait à une élégance et une vérité continues quelques traits de sublime. Despréaux dans son Art poétique se rendit l'égal d'Horace en l'imitant. Molière, par la peinture fine des ridicules et des moeurs de son temps, laisse loin derrière lui la comédie ancienne. La Fontaine fît presque oublier Ésope et Phèdre, et Bossuet alla se placer à côté de Démosthène.»

Tout cela n'est pas et n'était pas même alors bien nouveau, mais suffit pour justifier d'Alembert d'avoir aspiré à prouver, en l'écrivant, qu'*un géomètre peut avoir le sens commun.*

Le rôle des Italiens, celui des Anglais chez lesquels il admire sans limite l'immortel chancelier Bacon et le sage philosophe Locke, sont indiqués avec une impartiale justice. Descartes est jugé de haut par un de ses pairs comme géomètre, par un adversaire indulgent pour les autres faces de son génie. «Il a peut-être été grand, mais il n'a pas été heureux.» Il paraît impossible de mieux dire en moins de mots. Sur sa philosophie et sur son système du monde, d'Alembert est bien loin de vouloir l'amoindrir. Sa méthode aurait suffi pour le rendre immortel.

«Cet homme rare, dit-il, dont la fortune a tant varié en moins d'un siècle, avait tout ce qu'il fallait pour changer la face de la philosophie. Une imagination forte, un esprit très conséquent, des connaissances puisées dans lui-même plus que dans les livres, beaucoup de courage pour combattre les préjugés les plus généralement reçus et aucune espèce de dépendance qui le forçât à les ménager. Aussi éprouva-t-il, de son vivant même, ce qui arrive, pour l'ordinaire, à tout homme qui prend un ascendant trop marqué sur les autres, il fit quelques enthousiastes et eut beaucoup d'ennemis. Soit qu'il connût sa nation, soit qu'il s'en défiât seulement, il s'était réfugié dans un pays entièrement libre pour y méditer plus à son aise. Quoiqu'il pensât beaucoup moins à faire des disciples qu'à les mériter, la persécution alla le chercher dans sa retraite, et la vie cachée qu'il menait ne put l'y soustraire. Malgré toute la sagacité qu'il avait employée pour prouver l'existence de Dieu, il fut accusé de la nier par des ministres qui, peut-être, n'y croyaient pas. Tourmenté et calomnié par des étrangers et assez mal accueilli par ses compatriotes, il alla mourir en Suède, bien éloigné sans doute à s'attendre au succès brillant que ses opinions eurent un jour.

«On peut considérer Descartes comme géomètre ou comme philosophe. Les mathématiques, dont il semble avoir fait assez peu de cas, font néanmoins aujourd'hui la partie la plus solide et la moins contestée de sa gloire. La géométrie, qui, par sa nature, doit toujours gagner sans perdre, ne pouvait manquer, étant maniée par un si grand génie, de faire des progrès très sensibles et apparents pour tout le monde. La philosophie se trouvait dans un état très différent. Tout y était à commencer; et que ne coûtent point les premiers pas en tout genre! Le mérite de les faire dispense de celui d'en faire de grands.»

Osons pénétrer et traduire la pensée de d'Alembert.

Les éloquentes rêveries de Platon et la savante logique d'Aristote avaient laissé tout à faire en philosophie. On doit à Descartes un premier pas, il est petit et l'on attend encore le second.

Chez un esprit habitué à exiger la rigueur, un tel jugement n'a rien qui doive surprendre. Mais pourquoi tant écrire alors sur la philosophie?

Les pages sur Newton, quoique belles, ne sont pas dignes d'un tel sujet. D'Alembert aurait eu bonne grâce à s'incliner plus profondément devant son véritable maître.

Lorsque, pressé par les limites nécessaires de son oeuvre, il salue rapidement les grands hommes en les jugeant d'un seul mot, ce mot n'est pas toujours heureux:

«Galilée, à qui la géographie doit tant pour ses découvertes astronomiques, et la mécanique pour sa théorie de l'accélération.»

Il y avait plus et mieux à dire sur l'adversaire victorieux du système de Ptolémée.

«Huygens, qui par ses ouvrages pleins de force et de génie a su bien mériter de la géométrie et de la physique.»

Le lecteur, s'il ne le sait déjà, peut-il deviner, dans ce savant *qui mérite bien de la science*, le génie immortel que dans son enfance on nommait Archimède et dont la longue carrière a justifié ce glorieux surnom.

«Pascal, auteur d'un traité sur la cycloïde....»

Quelle que puisse être la suite, d'Alembert ici le prend de trop bas. Mais, loin de réparer une maladresse irréparable, il ajoute avec une froide ironie:

«Génie immortel et sublime dont les talents ne pourraient être trop regrettés de la philosophie si la religion n'en avait pas profité.»

Ni Galilée, ni Huygens, ni Pascal ne sont traités suivant leur mérite.

La préface de d'Alembert fut beaucoup admirée. Les critiques les plus vives étaient entourées de louanges. On respectait même en le combattant le savant qui, déjà illustre, montrait dans un champ aussi vaste la profondeur de son esprit et la fermeté de son style.

«La préface que M. d'Alembert a mise à la tête de ce grand ouvrage est bien propre à prévenir en sa faveur; c'est un morceau de génie où brille un savoir exquis revêtu de toutes les grâces du style. On y voit un esprit noble, élevé, vraiment philosophique, un discours nourri, pour ainsi dire, de réflexions lumineuses qui forment un texte serré et très délicat.»

Tel est le début de l'une des critiques les plus remarquées et les plus libres publiées sur l'Encyclopédie.

D'Alembert s'élève, dans un de ses écrits, contre le géomètre (on n'a jamais dit lequel) qui, en présence d'une belle oeuvre de l'esprit, demandait: «Qu'est-ce que cela prouve?»

«Je me contenterais, ajoute-t-il, de demander qu'est-ce que cela apprend?»

Cette question adressée à la préface de l'Encyclopédie resterait sans réponse.

L'Encyclopédie, plus encore que la préface, souleva de vives critiques. L'oeuvre de tant de mains était fort inégale. On citait beaucoup de questions faiblement traitées; d'autres n'auraient pas dû l'être du tout. Le dictionnaire, en somme intéressant et utile, attirait surtout l'attention par le scepticisme philosophique qui y règne.

Voltaire, qui prévoyait les difficultés de cet immense programme, est à demi ironique, mais aussi à moitié sérieux, quand il termine par ces mots une lettre aux deux collaborateurs: «Adieu, Atlas et Hercule, qui portez le monde sur vos épaules. Tant que j'aurai un souffle dévie, je suis au service des illustres auteurs de l'Encyclopédie.»

Il envoie des articles de tous genres au bureau qui enrichit le genre humain.

Le genre humain ne pouvait s'enrichir en un jour. Le monument sans avenir s'élevait trop vite. D'Alembert le comparait à un habit d'arlequin, où il y a quelques morceaux de bonne étoffe et beaucoup de haillons.

Le magnifique programme planait au-dessus des débris, mais les ennemis, acharnés et nombreux, ne voulaient et ne pouvaient voir que les détails: ils en signalaient d'étranges. Diderot y introduisait jusqu'à de longs articles extraits de la *Cuisinière bourgeoise*. L'article AGNEAU a trente-cinq lignes:

«Tout ce qui se mange de l'agneau est délicat. On met la tête et les pieds en potage, on les échaude, on les assaisonne avec le petit lard, le sel, le poivre, les clous de girofle et les fines herbes; on frit la cervelle après l'avoir bien saupoudrée de mie de pain....»

Bonne ou mauvaise, et je la crois mauvaise, cette cuisine n'est pas à sa place.

L'article GENÈVE, écrit par d'Alembert, a plus qu'un autre attiré l'attention. Le consistoire calviniste de la petite république y est loué d'accepter, sans l'avouer publiquement, un socinianisme parfait. Les sociniens, personne ne l'ignorait alors, feignant d'être chrétiens, ne croient ni au paradis ni à l'enfer. Pour les orthodoxes, ils méritent le bûcher. En les tolérant—c'était l'opinion de Bossuet—, on franchirait toutes les bornes. Sociniens ou non, les pasteurs protestaient avec violence, et J.-J. Rousseau, sans se soucier du fond, qu'il déclarait ne pas connaître, combattit la prétention de faire sans leur aveu la confession publique de leurs sentiments secrets. La thèse était juste, l'argumentation facile, et Jean-Jacques se donna le plaisir de la développer dans quelques pages irréfutables. Mais la lettre célèbre adressée à d'Alembert traite une question beaucoup moins simple. D'Alembert avait écrit:

«On ne souffre pas à Genève de comédie; ce n'est pas qu'on y désapprouve les spectacles en eux-mêmes, mais on craint, dit-on, le goût de parure, de dissipation et de libertinage que les troupes de comédiens répandent parmi la jeunesse. Cependant ne serait-il pas possible de remédier à cet inconvénient, par des lois sévères et bien exécutées sur la conduite des comédiens? Par ce moyen Genève aurait des spectacles et des moeurs, et jouirait de l'avantage des uns et des autres; les représentations théâtrales formeraient le goût des citoyens, et leur donneraient une finesse de tact, une délicatesse de sentiment qu'il est difficile d'acquérir sans ces leçons.

«La littérature en profiterait sans que le libertinage fit des progrès. Genève réunirait à la sagesse de Lacédémone la politesse d'Athènes.»

D'Alembert, à son ordinaire, appuie et développe trop longuement. Peu importe à Rousseau, c'est le fond qu'il conteste et le théâtre qu'il veut proscrire, non partout, mais à Genève.

La lettre de Rousseau à d'Alembert a l'étendue d'un livre; tous les regards alors se tournaient vers lui, les âmes se penchaient vers les paradoxes dont son style, quelle que fût sa thèse, assurait le retentissement. Rousseau ne cache pas ses principes:

«Au premier coup d'oeil jeté sur ces institutions, dit-il, je vois d'abord qu'un spectacle est un amusement, et s'il est vrai qu'il faille des amusements à l'homme, vous conviendrez au moins qu'ils ne sont permis qu'autant qu'ils sont nécessaires, et que tout amusement inutile est un mal pour un être dont la vie est si courte et le temps si précieux.»

Les luttes littéraires plaisaient à d'Alembert; il répondit en s'efforçant, non sans succès, d'imiter le style de son adversaire. Le public, dans cette joute oratoire que rien ne rendait nécessaire, vit cependant un amusement permis: la lettre et la réponse furent beaucoup lues et beaucoup admirées, l'opinion donna raison à d'Alembert, mais décerna le prix d'éloquence à Rousseau.

Le caractère philosophique, c'est-à-dire antireligieux de l'Encyclopédie, devait exciter des protestations. Dès le second volume un arrêt du Conseil avait interdit la vente des articles déjà parus, en soumettant à la censure préalable tous ceux qui intéresseraient à l'avenir la religion.

«Sa Majesté a reconnu, disait l'arrêt, que dans les deux volumes on a affecté d'insérer des maximes tendant à détruire l'autorité royale, à établir l'esprit d'indépendance et de révolte, et, sous des termes obscurs et équivoques, à élever les fondements de l'erreur, de la corruption des moeurs, de l'irréligion et de l'incrédulité.»

Le gouvernement était faible; ses irrésolutions grandissaient avec l'audace de ses adversaires. La défense fut levée; d'autres réclamations s'élevèrent. L'avocat général Omer Fleury, l'une des victimes les moins intéressantes de Voltaire, s'écriait, quelques années après, dans un réquisitoire demeuré célèbre:

«La société, l'État et la religion se présentent aujourd'hui au tribunal de la justice pour lui porter leurs plaintes. C'est avec douleur que nous sommes contraints de le dire, on ne peut se dissimuler qu'il n'y ait un projet conçu, une société formée pour soutenir le matérialisme, pour détruire la religion, pour inspirer l'indépendance et nourrir la corruption des moeurs.»

Quelques années après, le 8 mars 1759, un arrêt du Conseil supprimait les lettres de privilège accordées pour l'impression de l'Encyclopédie. On avait publié sept volumes.

D'Alembert, fatigué de la lutte et effrayé non sans excellentes raisons, se retira définitivement.

Une lettre adressée à Voltaire fait connaître les motifs d'une résolution qui, malgré les vives instances de Diderot, demeura inébranlable: «Oui, sans doute, mon cher maître, l'Encyclopédie est devenue un ouvrage nécessaire et se perfectionne à mesure qu'elle avance; mais il est devenu impossible de l'achever dans le maudit pays où nous sommes. Les brochures, les libelles, tout cela n'est rien; mais croiriez-vous que tel de ces libelles a été imprimé par des *ordres supérieurs* dont M. de Malesherbes n'a pu empêcher l'exécution? croiriez-vous qu'une satire atroce contre nous qui se trouve dans une feuille périodique qu'on appelle les *Affiches de province* a été envoyée de Versailles à l'auteur avec ordre de l'imprimer, et qu'après avoir résisté autant qu'il a pu jusqu'à s'exposer à perdre son gagne-pain, il a enfin imprimé cette satire en l'adoucissant de son mieux? Ce qui en reste, après cet adoucissement fait par la *discrétion du prêteur*, c'est que nous formons une secte qui a juré la ruine de toute société, de tout gouvernement et de toute morale. Cela est gaillard; mais vous sentez, mon cher philosophe, que si on imprime aujourd'hui de pareilles choses, par *ordre exprès* de ceux qui ont l'autorité en main, ce n'est pas pour en rester là. Cela s'appelle amasser des fagots au septième volume pour nous jeter dans le feu au huitième. Nous n'avons plus de censeurs raisonnables à espérer, tels que nous en avions eu jusqu'à présent. M. de Malesherbes a reçu là-dessus les ordres les plus précis et en a donné de pareils aux censeurs qu'il a nommés. D'ailleurs, quand nous obtiendrions qu'ils fussent changés, nous n'y gagnerions rien; nous conserverions alors le ton que nous avons pris, et l'orage recommencerait au huitième volume. Il faudrait donc quitter de nouveau, et cette comédie-là n'est pas bonne à jouer tous les six mois. Si vous connaissiez d'ailleurs M. de Malesherbes, si vous saviez combien il a peu de nerf et de consistance, vous seriez convaincu que nous ne saurions compter sur rien avec lui, même après les promesses les plus positives. Mon avis est donc, et je persiste, qu'il faut laisser là l'Encyclopédie et attendre un temps plus favorable (qui ne reviendra peut-être jamais) pour la continuer. S'il était possible qu'elle s'imprimât dans le pays étranger en continuant, comme de raison, à se faire à Paris, je reprendrais mon travail, mais le gouvernement n'y consentira jamais; et, quand il le voudrait bien, est-il possible que l'ouvrage s'imprime à cent ou deux cents lieues des auteurs?

«Pour toutes ces raisons, je persiste en ma thèse.»

Il laissa Diderot terminer sans lui le monument plus vaste que grand, plus vite oublié que les promesses auxquelles on continuait à croire.

D'Alembert a écrit en traçant son propre portrait:

«Impatient et colère jusqu'à la violence, tout ce qui le contrarie, tout ce qui le blesse, fait sur lui une impression vive, dont il n'est pas le maître.»

Ce jugement est confirmé par les détails d'une affaire peu connue, celle du jésuite Tolomas, membre de l'Académie de Lyon, poursuivi, sur des motifs qu'on jugera bien légers, par la colère de d'Alembert qui demande avec insistance à la Compagnie dont il était correspondant l'expulsion de celui qui l'avait, disait-il, offensé.

Le père Tolomas, professeur au collège de Lyon, à la rentrée des classes, le 30 novembre 1754, prononça un discours latin en présence du consulat et d'une assemblée nombreuse. Il avait pris pour sujet l'apologie du collège et des méthodes adoptées pour l'éducation et pour l'enseignement.

L'intention était évidente. Tolomas répondait à l'article Collège récemment paru dans l'Encyclopédie, dont l'auteur était d'Alembert.

L'attaque avait été vive, la réponse était de droit.

Un jeune homme, lisait-on dans l'Encyclopédie, après avoir passé dans un collège dix années qu'on doit mettre au nombre des plus précieuses de sa vie, en sort, lorsqu'il a le mieux employé son temps, avec la connaissance très imparfaite d'une langue morte, avec des principes de rhétorique et des principes de philosophie qu'il doit tâcher d'oublier, souvent avec une corruption de moeurs dont l'altération de la santé est la moindre suite.

On écouta Tolomas avec bienveillance; plus d'une allusion, quoique faite en latin, fut comprise et applaudie par l'élite de la société lyonnaise. On savait alors les classiques par coeur. Quand le père Tolomas parla d'un auteur

Cui nec est pater nec res,

chacun se rappela un vers d'Horace et pensa à la naissance de d'Alembert.

D'Alembert écrivit pour s'en plaindre à la Société royale de Lyon. Sa lettre est du 30 janvier 1755. Il s'étonne de son silence et attend une justice publique. Le secrétaire perpétuel de la Société répondit le 22 février 1755 que la Société n'avait pas entendu le discours de l'un de ses collègues, ni ne l'a examiné; que, prononcé au collège, ce qui s'y passe n'est pas de son ressort et que la seule satisfaction que la Société puisse lui donner est de lui assurer que sa lettre a été lue en assemblée générale, que l'académicien inculpé y était présent et a protesté de son innocence d'intention et de fait, puisque son discours ne contenait aucun trait qui puisse le regarder et qu'il offre, ce que la Société a accepté, d'écrire lui-même à M. d'Alembert.

Le père Béraud, savant astronome, correspondant de l'Académie des sciences, écrivit de Lyon le 21 février 1755 à M. d'Alembert pour lui assurer que la harangue du père Tolomas, qu'il a entendue, ne contenait aucune attaque personnelle contre lui.

Le père Tolomas lui-même, le 25 février 1755, écrivit à d'Alembert pour se plaindre des préventions qu'on lui a données. Il ne s'est permis aucune personnalité, il a dans son discours défendu les collèges avec modération, il l'a déposé entre les mains de M. le Prévôt des marchands de Lyon.

D'Alembert, dans une lettre du 17 mars 1755, adressée à M. Bourjelat, écuyer du roi (frère Bourjelat, comme il le nomme en parlant à Voltaire), persiste dans sa réclamation contre l'injure du père Tolomas, parce que, dit-il, la Société ne lui a pas rendu justice. Il n'a pas répondu à la réponse de son secrétaire parce qu'il se croit quitte désormais de tout envers elle. Il n'aurait pas cru qu'au XVIIIe siècle, dans une des premières villes de France, il pût y avoir une Société littéraire qui autorise chacun de ses membres à outrager de la manière la plus indigne un homme de lettres qui n'a jamais insulté qui que ce soit; il lui demande de rendre publique sa lettre à la Société, la réponse qu'il en a reçue, celle des deux jésuites et la présente. Il doit ce procédé aux dignes membres de la Société de Lyon qui, n'ayant pu lui faire rendre justice et ne voulant pas attester que la harangue qu'ils ont entendue ne contenait rien d'injurieux, ont pris le parti de se retirer.

Si ces lettres, comme le demande d'Alembert, ont été réunies et publiées en 1755, la brochure qui les contient est actuellement introuvable. Le discours manuscrit de Tolomas n'existe non plus ni dans les archives de la municipalité de Lyon, ni à la bibliothèque de la ville. Le dossier de l'affaire d'Alembert-Tolomas, à la bibliothèque de Lyon, contient 25 pièces. Nous en citerons deux seulement:

«Monsieur et cher confrère,

«Dans le moment que votre lettre, le mémoire y joint et les jettons qui m'ont surpris comme chose que je ne croyais pas avoir méritée dans les règles, M. Bourjelat était avec moi; il m'a fait part du silence affecté de M. de Malesherbes sur ce qui nous concerne; lui qui l'avait prévenu il y a quelques semaines, il lui a répondu aux autres articles les moins importants de ses lettres et a laissé celui-là. De plus, il m'a montré une lettre de M. d'Alembert qui lui mande que s'il avait eu *l'honneur d'être de la Société royale de Lyon, il aurait eu celui de lui écrire pour le prier de rayer de la liste le nom de Tholomas ou le sien.* Ce sont ses termes.

«Enfin il est constant et nous en avons des nouvelles certaines, le discours du père Tholomas a fait une grande sensation à Paris, et nous avons tout lieu de présumer qu'il nous fait perdre la protection de M. de Malesherbes et même celle de M. d'Argenson, protecteur de l'Encyclopédie. Au surplus, M. Bourjelat est toujours très disposé à nous aider de tous les bons offices qui seront en son pouvoir. Il a déjà tâché de remédier au premier effet que produit le programme envoyé à MMrs de l'Encyclopédie en protestant que le corps n'avait rien de commun dans cette affaire; il paraît néanmoins qu'on y fait entrer pour beaucoup notre Compagnie. J'aurais, sitôt qu'il me sera possible, l'honneur de conférer avec vous plus amplement sur cette affaire.

«GOIFFON.»

Goiffon dans une seconde lettre se montre beaucoup plus vif; il a pris son parti. C'est avec M. de Malesherbes qu'il veut se ménager, et la bienveillance de M. d'Argenson qu'il ne veut pas perdre. Il a d'ailleurs entendu la harangue et, toute réflexion faite, la trouve injurieuse; il prie en conséquence la Société d'accepter sa démission.

Cinq autres membres prirent le même parti. L'un d'eux est le célèbre Montucla, historien des mathématiques; il hésita longtemps, car sa lettre est du 5 juin 1755.

«Je suis extrêmement mortifié de n'avoir à vous écrire depuis que vous êtes secrétaire de la Société royale de Lyon que pour le sujet pour lequel je le fais aujourd'hui. Il m'aurait été doux de conserver davantage le titre de votre associé; mais mes liaisons avec M. d'Alembert et l'amitié dont il m'honore ne me permettent pas de me réputer davantage d'un corps dont il a de justes motifs de se plaindre. Je vous prie, monsieur, de lire ma lettre à l'Académie pour lui notifier la démission que je lui donne de ma qualité d'académicien.

«Votre très humble et très obéissant serviteur,

«MONTUCLA.»

Je dois au savant doyen de la Faculté catholique des sciences de Lyon, M. Valson, un rapprochement curieux.

Voltaire était arrivé à Lyon le 15 novembre 1754, avec l'intention de s'y établir. La tradition rapporte même qu'il devait fixer sa résidence sur les bords de la Saône, près de l'île Barbe.

Deux Académies, réunies depuis, existaient alors à Lyon: l'Académie des sciences et belles-lettres et l'Académie des beaux-arts ou Société royale. Toutes deux étaient fort considérées, mais animées d'un esprit différent. La première, dont le membre le le plus connu, Fleurieu, était ami de Voltaire, favorisait les Encyclopédistes. La seconde, ayant pour directeur le célèbre architecte Soufflot et patronnée par l'archevêque de Lyon, le cardinal de Tencin, oncle de d'Alembert, avait des sympathies tout opposées. Très fière du titre de Société royale, elle s'arrogeait le premier rang. C'est à celle-là qu'appartenait Tolomas.

Voltaire, quelques jours après son arrivée, assista avec son ami Fleurieu à une séance de l'Académie des sciences et belles-lettres. L'archevêque de Lyon, patron de l'Académie royale, ne pouvait aimer les allusions à la naissance de son neveu; il s'en prit à Voltaire. Pour menacer ses écrits de poursuites on n'avait que l'embarras du choix; il s'entendit avec le duc de Villars, gouverneur de la ville, et Voltaire jugea prudent de quitter Lyon le 9 décembre 1754, en attribuant au discours de Tolomas les tracasseries qui l'inquiétaient. La mauvaise humeur de d'Alembert devait naturellement s'en accroître.

On peut rapprocher de cette affaire Tolomas les efforts de d'Alembert pour obtenir la suppression de la feuille de Fréron, *l'Année littéraire.*

On attaquait de toutes parts les Encyclopédistes comme ennemis des lois et de la religion. D'Alembert et Diderot étaient traités chaque jour d'empoisonneurs publics. Fréron, que Voltaire a rendu intéressant à force d'injustice, était un des plus violents détracteurs de l'oeuvre. D'Alembert osa porter plainte à M. de Malesherbes, directeur de la librairie. On espérait de lui plus que de la bienveillance pour l'Encyclopédie; on en avait acquis le droit.

M. de Malesherbes, peu de temps avant, forcé par des ordres supérieurs de faire saisir les papiers de Diderot, le fit prévenir quelques heures à l'avance. «On me laisse trop peu de temps! s'écria-t-il, où voulez-vous que je les cache?—Qu'il les envoie chez moi, répondit Malesherbes, ils y seront en sûreté.»

S'il était prêt à protéger ses amis, M. de Malesherbes ne pouvait ni ne voulait persécuter leurs adversaires. Il saisit l'occasion de donner à d'Alembert une leçon de patience et d'équité.

«Mes principes, lui écrivit-il, sont qu'en général toute critique littéraire est permise, et que toute critique qui n'a pour objet que le livre critiqué et dans laquelle l'auteur n'est jugé que d'après son ouvrage, est une critique littéraire.»

Fréron continua sa polémique vigilante et sévère en relevant, non sans esprit, les méprises, les faiblesses et les emprunts de l'Encyclopédie. La voix de Voltaire,

Cette voix qui s'aiguise et vibre comme un glaive,

redoubla de sarcasmes et d'injures contre celui qu'il appelait Zoïle Aliboron et, dans ses jours de grande colère, Cartouche Fréron.

Il ne serait pas juste, en jugeant les faits, d'oublier l'état des esprits. La guerre était déclarée. Quoique faites avec la plume, les blessures étaient dangereuses et les représailles redoutables. L'irritation était universelle. Chaque jour le Parlement supprimait ou condamnait au feu quelque publication nouvelle. L'emprisonnement d'un auteur, son exil sans jugement ou plus souvent encore sa fuite, étaient devenus des événements sans importance. Les imprimeurs et les colporteurs de livres prohibés étaient condamnés avec une rigueur intermittente et capricieuse, tantôt au carcan, tantôt aux galères, quelquefois à mort. De pieux chrétiens, pour avoir obéi à leur conscience, étaient, par une vexation inouïe, privés des sacrements à leur dernière heure et mouraient sans consolation. Un des collaborateurs de l'Encyclopédie, Morellet, venait d'être envoyé à la Bastille. L'abbé de Prades, autre rédacteur des articles théologiques, s'était très prudemment enfui près de Frédéric. «Nous ne pouvons pas en élever un», disait d'Alembert. La confraternité académique et la courtoisie due entre gens de lettres disparaissaient dans ces temps troublés devant les haines de parti. Fréron pour les amis de d'Alembert, pour d'Alembert même, personne dans le parti n'en voulait douter quoique la postérité en doute fort, était un personnage venimeux, un vil spadassin littéraire, l'opprobre de la nation, capable de toutes les infamies et souillé par tous les vices:

... ... Cet animal se nommait Jean Fréron.

On ne peut citer les vers qui précèdent.

Tolomas était un jésuite!

L'indignation contre les pieuses fureurs des jansénistes, qui, pour vaincre et détruire les ennemis de la foi, croyaient toute arme permise et toute persécution légitime, avait jeté d'Alembert dans la lutte. Dans l'ardeur du combat il croyait, à son tour, tout permis contre ceux qu'il traitait, sans faire de distinction, de plate et odieuse canaille.

La géométrie respecte toujours la logique; les géomètres l'oublient quelquefois.

CHAPITRE IV

D'ALEMBERT ET L'ACADÉMIE FRANÇAISE

La préface de l'Encyclopédie fut un événement. Les salons les plus brillants, fort indifférents aux problèmes de dynamique et à la précession des équinoxes, s'empressèrent d'accueillir et d'attirer ce jeune savant, si profond, si universel, si habile à bien dire. D'Alembert rencontra chez le président Hénault la célèbre Mme du Deffant. Il allait volontiers où il se sentait désiré. Chaque jour bientôt il la voyait ou lui écrivait. Dans ce monde nouveau il sut plaire à tous, à Voltaire comme à Montesquieu, à Mme de Stahl comme à la duchesse du Maine.

Le comte des Alleurs, un des habitués de la maison, parle dans une de ses lettres du prodigieux et aimable d'Alembert, le sublime géomètre. D'Alembert, pour plaire à sa spirituelle amie, déployait toutes les ressources de son esprit. Sur un point seulement il était intraitable: il ne voulait pas être protégé et dérangeait par ses maladresses volontaires les plans arrangés pour le servir. Mme du Deffant lui promettait une place à l'Académie française; d'Alembert l'acceptait volontiers, mais à la condition de ne faire la cour à personne, de parler librement sur tous les sujets, et peut-être, sans l'avouer, de se montrer d'autant plus raide ou plutôt plus taquin—la raideur n'était pas son genre—qu'on pouvait davantage lui être utile.

Mme du Deffant, protectrice déjà de plus d'une candidature, n'avait rien rencontré de pareil: Il choisit bien son temps pour jouer les Alceste! Tant qu'il voudra quand on l'aura nommé. L'Encyclopédie est en vue, il suffit d'y brûler quelques grains d'encens. Un mot dans un tel livre peut faire un ami et ne doit rien coûter à une conscience raisonnable! Le président Hénault, auteur d'une histoire chronologique de France, était académicien; Mme du Deffant était son amie après avoir été un peu plus, mais bien peu, s'il faut l'en croire. Lorsque, n'étant plus jeune, elle résolut, tout en restant philosophe, de rendre son genre de vie plus édifiant, d'éloigner les occasions et de renoncer aux habitudes compromettantes, elle ajoutait, en l'annonçant: «Quant au président Hénault, je ne compte pas lui faire l'honneur de renoncer à lui».

Elle l'aimait assez pour vouloir dans l'Encyclopédie une louange pour son livre, ou s'intéressait assez à d'Alembert pour désirer dans sa candidature le protecteur zélé que cette louange devait assurer.

D'Alembert ne voulait rien comprendre: le talent du président ne mérite pas l'honneur d'une citation, il n'en aura pas. «Ni Dieu ni vous, écrit-il à sa protectrice, ni vous toute seule, ne pourrez réussir à m'y décider.»

«Pensez-vous de bonne foi, madame, que dans un ouvrage destiné à célébrer les grands génies, je doive parler de l'abrégé chronologique? C'est un ouvrage utile et assez commode, mais voilà tout.

«En vérité, c'est là ce qu'on en dira quand le président ne sera plus, et quand je ne serai plus, moi, je suis jaloux qu'on ne me reproche pas d'avoir donné des éloges excessifs à personne.»

Ne voilà-t-il pas tout à coup que les grandes réunions fatiguent d'Alembert; il ne veut plus accepter d'invitation chez Mme du Deffant que pour dîner avec elle en tête-à-tête: il est insupportable! Il fait bien pis encore. Au moment où sa candidature paraît en bonne voie, il la compromet à plaisir: c'est à n'y rien comprendre! Dans un opuscule qu'aucun devoir ne commande, il parle des relations des hommes de lettres avec les grands comme s'il n'avait plus besoin de protecteurs. Pour Mme du Deffant, c'est de la folie; pour d'Alembert, une occasion de rire: «Voilà, dit-il, comme il faut traiter ces gens-là; on n'est point de l'Académie, mais on est quaker et on passe le chapeau sur la tête devant l'Académie et devant ceux qui en font être.»

Un autre jour, il écrit à sa protectrice obstinée: «Que diable avez-vous donc dit au président sur mon compte? Est-ce encore pour l'Académie? Eh! mon Dieu! laissez tout cela en repos. J'en serai si on m'en met, voilà tout.»

Il devait échouer; cela ne manqua pas. D'Alembert, qui n'avait obtenu à l'Académie des sciences le modeste titre d'adjoint qu'à sa quatrième candidature, fut également battu trois fois à l'Académie française.

Buffon avait remplacé, en 1753, Languet de Gergy, archevêque de Sens. Quatre places furent vacantes en 1754. D'Alembert dut laisser passer avant lui le comte de Clermont, Bougainville et de Boissy.

L'élection du comte de Clermont fit scandale. On a gardé le souvenir d'une épigramme qui valut, dit-on, quelques coups de bâton au poète Roi:

Trente-neuf qu'on joint à zéro,
Si j'entends bien le numéro,
N'ont jamais pu faire quarante.

D'où je conclus, troupe savante,
Qu'ayant dans vos cadres admis
Clermont, cette masse pesante,
Ce digne cousin de Louis,
La place est encore vacante.

De Boissy, poète comique, s'était élevé jusqu'à la tragédie. La supériorité du genre était alors acceptée.

Son *Alceste*, tel était le sujet, se termine par la mort du traître qui, se voyant démasqué, sort d'embarras en se poignardant. Il tombe mort sur la scène, et Hercule s'écrie, admirant ce vigoureux coup de poignard:

Dieux, avec tant de force et d'intrépidité,
Que n'avait-il un coeur à la vertu porté!

Ce sont les derniers vers de la pièce.

Alceste n'avait pas été représentée depuis 1727, on l'avait peut-être oubliée. On avait oublié aussi les débuts de Boissy, dont les *Satires*, premier fruit de sa muse, avaient, dit d'Alembert dans son éloge, offensé les hommes de lettres les plus éminents.

Le troisième concurrent préféré à d'Alembert, Bougainville, était secrétaire perpétuel de l'Académie des inscriptions et belles-lettres. Ce choix, s'il est permis de juger à distance, était le plus mauvais des trois: Bougainville, dit Grimm, qui peut-être exagère, fut nommé malgré l'Académie et malgré le public. Il accroissait ses chances en se disant mourant: «Nous croyez-vous, lui répondit Duclos, chargés de donner l'extrême-onction?»

La séance de réception de Bougainville est restée célèbre. Ayant à faire l'éloge de La Chaussée, adversaire décidé de ses précédentes candidatures, pour montrer la grandeur de son âme, il le compare à Molière et, tout bien pesé, lui accorde la préférence.

L'Académie resta froide, le public rit beaucoup, et l'on continua à regretter l'absence du nom de Molière dans «cet auguste sanctuaire où le petit-fils du grand Condé (le comte de Clermont) venait confondre ses lauriers avec ceux du neveu du grand Corneille (Fontenelle)».

La nomination de d'Alembert fut très disputée. La suppression récente de deux volumes de l'Encyclopédie lui donnait un caractère d'opposition auquel l'Académie n'était pas habituée.

Le candidat élu, d'après les usages, était soumis dans un second scrutin à l'approbation de l'Académie. On votait par boules noires ou blanches. On a prétendu que, pour d'Alembert, le nombre des boules noires devait entraîner l'exclusion et qu'une fraude de Duclos en dissimula quelques-unes. L'anecdote est fausse, mais les boules noires furent nombreuses.

La réception de d'Alembert eut beaucoup d'éclat; son prédécesseur était Surian, évêque de Vence. L'Encyclopédie dans ce jour de triomphe se montra courtoise et modeste; d'Alembert eut le bon goût de louer sans réticence les vertus de son prédécesseur et sa foi sans ironie. On exagérerait en disant que l'éloge de d'Alembert a rendu l'évêque de Vence illustre: il l'a préservé de l'oubli.

Les éloges académiques de d'Alembert, rarement cités et fort peu lus, sont moins inconnus cependant que les oeuvres de Surian et que l'histoire de l'évêché de Vence.

D'Alembert a composé beaucoup d'éloges. Dans ce genre de littérature, a dit avec esprit M. Guizot, beaucoup de travail et beaucoup de soin imitent le talent sans y prétendre. D'Alembert, qui n'avait pas besoin d'imiter le talent, travaillait peu ses éloges. Ce n'est pas à la postérité qu'il les adresse: on ne doit pas, comme on l'a fait trop souvent, juger par eux de son style et de son goût. D'Alembert au collège méritait le premier rang dans tous les genres d'étude, il n'excellait pas moins en amplifications qu'en vers latins. Il chercha pendant toute sa vie, dans ces exercices de plus en plus faciles à sa plume exercée, une distraction à ses profondes recherches. Le succès toujours grand de ces oeuvres éphémères a été une des joies de sa vie; il acceptait toutes les occasions de les renouveler, souvent les faisait naître: on le trouvait toujours prêt. Lecteur très habile, trop habile, disaient les malveillants, il amusait toujours l'auditoire: c'était tout ce qu'il voulait. Une lecture faite par lui, quel qu'en fût l'auteur, assurait à une séance publique une affluence dont il était fier.

À l'Académie des sciences comme à l'Académie française, avant même d'en être secrétaire perpétuel, il prenait la parole à presque toutes les réunions publiques et se chargeait, avec une complaisance empressée, de lire les discours des lauréats et les pièces de poésie couronnées. Souvent même, les jours de réception, sans avoir de rôle officiel, il ouvrait la séance par quelques réflexions ou quelques conseils sur des sujets de morale, de poésie ou d'histoire. C'est ce que Bachaumont appelle faire la parade. La production rapide de ces travaux sans gloire ne ralentissait ni sa correspondance toujours active, ni son ardeur toujours féconde pour la science.

«Vous êtes, lui écrivait Voltaire à l'occasion de l'une de ses lectures, le seul écrivain qui n'aille jamais ni en deçà ni au delà de ce qu'il veut dire. Je vous regarde comme le premier écrivain du siècle.» La postérité n'a pas ratifié la louange.

Diderot trouve d'Alembert délicat, ingénieux, plaisant, ironique et hardi, mais il l'accuse d'écrire sur la poésie en géomètre.

Qu'est-ce que cela veut dire?

Le domaine des vérités démontrées est étroit. Serait-il vrai qu'en y pénétrant on se condamne à n'en plus sortir et que l'habitude de la ligne droite rende l'esprit mauvais juge des gracieux détours de la fantaisie. Il n'y a pas à cela plus de raison que pour qu'un peintre ignore la musique. Pour être différentes, les facultés de l'esprit ne s'excluent pas. L'habitude de bien raisonner est une force, il est rare qu'elle soit inutile, plus rare encore qu'elle puisse nuire.

D'Alembert a écrit dans l'éloge de Bossuet: «De toutes les études profanes, celle des mathématiques fut la seule que le jeune ecclésiastique se crut en droit de négliger. Les connaissances géométriques ne lui parurent d'aucune utilité pour la religion. On nous accuserait d'être à la fois juge et partie, si nous osions appeler de cette proscription rigoureuse. Cependant nous serait-il permis d'observer, tout intérêt particulier mis à part, que le théologien naissant ne traite pas avec assez de justice et de lumière une science qui n'est pas aussi inutile qu'il le pensait au théologien même. Science en effet si propre non pas à redresser les esprits faux condamnés à rester ce que la nature les a faits, mais à fortifier dans les beaux esprits cette justesse d'autant plus nécessaire que l'objet de leurs méditations est plus important ou plus sublime. Bossuet pouvait-il ignorer que l'habitude de la démonstration, en nous faisant reconnaître et saisir l'évidence dans tout ce qui en est susceptible, nous apprend encore à ne point appeler démonstration ce qui ne l'est pas et à discerner les limites qui, dans ce cercle étroit des connaissances humaines, séparent la lumière du crépuscule et le crépuscule des ténèbres.»

L'intention est évidente, mais pour la rendre claire, et c'est tout ce que voulait d'Alembert, il aurait suffi de trois lignes.

D'Alembert, pour rire et pour faire rire, dépassait quelquefois les limites du bon goût. Il est impossible de l'approuver lorsque, faisant l'éloge de M. de Clermont-Tonnerre, évêque de Noyon, dont Boileau disait: «Il m'estimerait bien davantage, s'il savait que je suis gentilhomme», il changeait le titre habituel de sa lecture en celui de panégyrique, par la raison que ce prélat, célèbre par ses ridicules, ne saurait être loué dans le style habituel; il était nécessaire de combattre les exagérations, de démentir les légendes qui ont réuni dans l'histoire de son héros tous les traits ridicules de la vanité, comme dans celle d'Hercule tous les prodiges de la force.

D'Alembert est souvent ingénieux, rarement léger. Voulant louer Segrais qui n'a pas accepté l'honneur qu'on voulait lui faire d'avoir composé sous le nom de Mme de Lafayette son petit chef-d'oeuvre: *la Princesse de Clèves*, il dit: «Segrais n'a jamais hésité à le rendre à son véritable auteur et l'a toujours rendu avec la sincérité la plus franche, *sans emprunter, comme ont fait tant d'autres en pareil cas, le voile transparent de cette modestie hypocrite qui a soin de mal jouer la discrétion, et qui, en repoussant mollement un honneur dont elle n'est pas digne, désire et se flatte de n'être pas crue sur parole.*»

Fontenelle, qui reste le modèle de l'éloquence académique, aurait supprimé les dernières lignes. Sans être des Fontenelles ni manquer de clarté, beaucoup d'autres, en abrégeant la phrase, auraient laissé au lecteur le plaisir de deviner quelque chose.

D'Alembert, lorsque tout est dit, reprend souvent l'idée pour redoubler l'assertion sans accroître la clarté qui est complète, ou fortifier la preuve qui semble évidente.

Il rapporte, dans l'éloge de Saint-Aulaire, que pour défendre les vers de ce poète de salon devenu candidat contre la critique de Boileau, un académicien lui représenta modestement que le marquis de Saint-Aulaire était un homme dont la naissance *et par conséquent les vers* méritaient des égards. Le trait est lancé, l'auditoire a compris, celui qui a pu dire «*et par conséquent les vers*» est jugé; d'Alembert ajoute pour l'accabler:

Je ne lui conteste pas, répondit Despréaux, les titres de noblesse, mais les titres du Parnasse; et quant à vous, monsieur, qui trouvez ces vers-là si bons, vous me ferez beaucoup d'honneur et de plaisir de dire du mal des miens.

L'incident est-il vidé? nullement; d'Alembert ajoute:

«L'apologiste, il faut en convenir, donnait beau jeu à Despréaux en prétendant que les vers qui le mettaient de si mauvaise humeur étaient moins obligés d'être bons, parce qu'ils se présentaient sous la sauvegarde des aïeux de l'auteur.» La réflexion est sage, trop sage même. Est-ce fini? pas encore; d'Alembert continue:

«Cet académicien si indulgent ne devait pas ignorer que des vers, fussent-ils d'un empereur, n'ont pas plus de droit d'être médiocres que s'ils avaient un simple bourgeois pour père, et si en pareil cas, comme dit le Misanthrope, le temps ne fait rien à l'affaire, la généalogie du poète y fait encore moins.»

On a reproché aussi à d'Alembert d'oublier le caractère de la tribune qui lui est offerte, en luttant sans attendre l'occasion pour le triomphe de la raison, tel était le nom inscrit sur son drapeau.

Le reproche n'est pas injuste. Lorsque, par exemple, dans l'éloge de Bossuet, d'Alembert écrit: «Bossuet se représentait avec frayeur combien l'humanité serait à plaindre si ce petit nombre d'hommes auxquels la Providence a commis leurs semblables, et qui n'ont à redouter sur la terre que le moment où ils la quittent, ne voyaient au-dessus de leur trône un arbitre suprême, qui promet vengeance aux infortunés dont ils auront souffert ou causé les larmes. Ce prélat *citoyen* était persuadé que ceux mêmes qui auraient le malheur de regarder la croyance d'*un Dieu comme inutile aux autres hommes*, commettraient un crime de *lèse-humanité* en voulant ôter cette croyance aux monarques: il faut que les sujets espèrent en Dieu et que les souverains le craignent.» C'est ici d'Alembert qui parle et pour lui-même, on ne saurait en douter; un tel langage choquerait dans les oeuvres de Bossuet, n'importe à quelle place, comme un intolérable contresens.

L'illustre chrétien aurait cru, même par figure oratoire, déshonorer sa plume en plaçant les oints du Seigneur, les rois qui règnent par lui, dont lui-même a ordonné la puissance, au nombre de ces insensés qui dans l'empire de Dieu, parmi ses ouvrages, parmi ses bienfaits, osent dire qu'il n'est pas et ravir l'existence à celui par lequel subsiste toute la nature. En écrivant l'éloge de

Bossuet, d'Alembert a le droit de lui emprunter sa plume, non de lui prêter la sienne.

D'Alembert traite Ronsard et Marot avec un dédain que rien n'adoucit, admire Boileau avec une conviction que rien ne modère, et dans une page plus digne d'un rhétoricien que d'un géomètre il le met en balance avec Racine et Voltaire, c'est-à-dire avec ceux qu'il place au premier rang:

«Ne pourrait-on pas comparer ensemble, dit-il, nos trois plus grands maîtres en poésie: Despréaux, Racine et Voltaire? Je nomme le dernier quoique vivant, car pourquoi se refuser au plaisir de voir d'avance un grand homme à la place que la postérité lui destine? Ne pourrait-on pas dire, pour exprimer les différences qui les caractérisent, que Despréaux frappe et fabrique très heureusement ses vers; que Racine jette les siens dans une espèce de moule parfait qui décèle la main de l'artiste sans en conserver l'empreinte, et que Voltaire, laissant comme échapper des vers qui coulent de source, semble parler sans art et sans étude sa langue naturelle? Ne pourrait-on pas observer qu'en lisant Despréaux on conclut et on sent le travail; que dans Racine on le conclut sans le sentir parce que d'un côté si la facilité continue en écarte l'apparence, de l'autre la perfection continue en rappelle sans cesse l'idée au lecteur; qu'enfin, dans Voltaire, le travail ne peut ni se sentir ni se conclure, parce que les vers moins soignés qui lui échappent par intervalles laissent croire que les beaux vers qui précèdent et qui suivent n'ont pas coûté davantage au poète? Enfin, ne pourrait-on pas ajouter, en cherchant dans les chefs-d'oeuvre des beaux-arts un objet sensible de comparaison entre ces trois écrivains, que la manière de Despréaux, correcte, ferme et nerveuse, est assez bien représentée par la belle statue du Gladiateur; celle de Racine, aussi correcte, mais plus moelleuse et plus arrondie, par la Vénus de Médicis, et celle de Voltaire, aisée, svelte et toujours noble, par l'Apollon du Belvédère.»

Pour Voltaire, quand ce morceau fut lu, il n'y avait pas d'indifférents. Les amis applaudirent, et les ennemis trouvèrent sans doute qu'on leur rendait la critique facile.

D'Alembert—puisque, usant d'une franchise qu'il approuverait, nous insistons sur ses défauts oratoires—oubliait trop souvent l'excellente maxime d'Horace: *Semper ad eventum festina*; il se plaisait aux digressions. Son motif, très apparent quelquefois, est d'introduire la louange d'un ami, presque toujours celle de Voltaire. Le caprice seul dans d'autres occasions lui fait oublier la ligne droite.

Campistron, secrétaire de M. de Vendôme, le suivait un jour, sans qu'aucun devoir l'y appelât, dans l'endroit le plus périlleux d'un champ de bataille: «Campistron, que faites-vous ici? lui demanda M. de Vendôme.—*Monseigneur*, répondit le poète, *voulez-vous vous en aller?*» Il aurait cru se déshonorer en ne partageant pas dans les plus brillantes occasions les périls et la gloire de son bienfaiteur.

D'Alembert, en laissant courir sa plume et oubliant Campistron, ajoute: «Horace, comme l'on sait, n'avait pas si bien payé de sa personne à la bataille de Philippes; il eut même le courage, si c'en est un, de plaisanter sur sa fuite par ce vers d'une de ses odes:

Relicta non bene parmula.

Quelqu'un a fait graver son buste et a mis au bas, en retranchant simplement le *non*:

Relicta bene parmula.

On ne peut faire valoir plus heureusement une fuite qui d'un mauvais guerrier a fait un excellent poète. Mais il eût encore mieux valu être à la fois l'un et l'autre comme Eschyle et Tyrtée; et peut-être Horace a-t-il contribué par l'aveu naïf de sa poltronnerie aux soupçons peu obligeants qu'on s'est plu quelquefois à jeter sur la bravoure des poètes.»

On revient enfin à l'éloge de Campistron, ce talent précoce, un instant célèbre, et qui n'a jamais pu mûrir; la louange que lui donne d'Alembert l'aurait peu flatté:

«S'il ne s'est pas servi de sa plume aussi bien qu'Horace, il lui reste du moins la gloire de s'être mieux servi de son épée.»

N'aurons-nous pas à notre tour le tort d'appuyer trop, en ajoutant qu'il n'y a aucune gloire à se promener, avec ou sans épée, sur un champ de bataille où l'on n'a que faire?

D'Alembert avant tout aimait la sincérité, il ne pouvait se résigner à faire des avances ou même à remercier ceux qui, renseignant le public, croient par un jugement bienveillant mériter la reconnaissance. Ils n'ont droit qu'à l'estime s'ils sont sincères, à l'indifférence s'ils font de leur plume l'instrument des amitiés ou des haines que souvent ils ne partagent pas. La presse, moins bruyante mais non moins courtisée qu'aujourd'hui, ne devait pas lui être favorable.

Tandis que des amis obstinés ou des amis de ses amis saisissaient toutes les occasions de vanter l'éclat de son style et le charme de son débit, d'autres se plaignaient, avec un parti pris non moins invariable, du mauvais goût de ses plaisanteries et de la lenteur de sa diction trop savamment ponctuée. Sur plus d'un point les folliculaires du XVIIIe siècle sont les seuls témoins qui nous restent. Aucun d'eux malheureusement n'a juré de dire la vérité. Il fallait avant tout servir sa coterie et défendre ses amis. Ne demandons donc ni à Fréron, ni à Bachaumont, ni à Grimm, ni au *Journal de Trévoux* la vérité sur l'éloquence académique de d'Alembert; ne nous fions pas trop aux correspondants de Mme du Deffant; avant 1765 ils n'annonceront que des succès; mais dès que la rupture est complète, quand d'Alembert à son nom, chaque fois qu'il le rencontre, associe d'injurieuses épithètes, on ne doit plus, par une représaille toute naturelle, apprendre par elle que des échecs.

D'Alembert, secrétaire perpétuel de l'Académie française, aimait l'Académie et détestait les sots. Il voulait que chaque élu fît honneur à la Compagnie. Ces principes étaient ceux de tous les partis; mais pour écarter les créatures de la coterie rivale, chacun tolérait, désirait et réussissait souvent à imposer de nombreuses exceptions à la règle.

D'Alembert, attentif aux opinions des candidats non moins qu'à leur talent, était peu favorable aux grands seigneurs et aux prélats. Son influence était acquise aux amis de la libre pensée plus encore qu'aux hommes de lettres. Il était au fond fort indifférent, mais, présent par devoir sur le théâtre de la lutte, organe de toutes les demandes, centre naturel de toutes les sollicitations, il ne pouvait manquer de jouer un rôle, et les vaincus devaient l'exagérer. Les recommandations de Voltaire, les conseils ou les ambitions de Condorcet, de Marmontel, de Laharpe, de Turgot ou de Diderot, les préférences de Mlle de Lespinasse et les amitiés de Mme Geoffrin dirigeaient sa résolution. Lorsqu'il l'avait prise, il aimait à vaincre, comme à tout jeu chacun désire gagner la partie. Appelé à choisir entre Coetlosquet et Trublet, entre Louis de Rohan et Radonvilliers, entre Loménie de Brienne et Roquelaure, entre le prince de Beauvau et Gaillard, entre Brequigny et l'abbé Arnaud, il faudrait, avant d'accuser son impartialité, revoir, soyons franc, et disons voir, soyons plus franc encore, et disons découvrir les pièces de ces procès, obscurs aujourd'hui, jadis si émouvants.

La correspondance très active entre d'Alembert et Voltaire roulait souvent sur les affaires académiques. Les deux amis, habituellement d'accord, se font volontiers des concessions. On a beaucoup blâmé l'une d'elles. D'Alembert a prêté à Voltaire tous les efforts de son zèle pour écarter de l'Académie le président Debrosses, dont le livre charmant, alors inédit, il faut le remarquer, occupe dans la bibliothèque des gens de goût une place dans laquelle aucun de ses concurrents, si leurs oeuvres existaient encore, ne serait aujourd'hui toléré.

Voltaire avait été le locataire du président. Se croyant tout permis, je veux dire se croyant seul juge de ses droits, il avait fait couper pour son usage quelques cordes de bois, sans en avoir nul droit, puisqu'il faut parler net. Le président, alléguant la coutume et l'usage et réclamant ses droits, qu'il connaissait, exigea le prix de son bois. Voltaire, non moins indifférent sans doute que son adversaire aux trois cents francs qui finirent par être donnés aux pauvres, ne voulut pas s'avouer dans son tort. Debrosses eut le mauvais goût de l'y contraindre en se donnant le dangereux plaisir d'engager avec lui une lutte d'esprit et le plaisir plus dangereux encore, sur ce terrain favorable à un magistrat qui a raison, de mettre les rieurs de son côté.

N'eût-il pas été, je ne dis pas plus prudent—d'Alembert ne l'aurait pas pardonné,—mais plus gracieux et plus sage au président de détourner les yeux d'une faiblesse évidente de Voltaire et de lui laisser voir—l'esprit pour cela ne lui manquait pas—que, sans être sa dupe, il était et voulait rester son très humble serviteur? C'est là, je crois, ce que, sans aucune préoccupation académique, les aimables amis de Debrosses lui auraient conseillé et le conseil que, dans un cas semblable, lui-même leur aurait donné.

Il ne faudrait pas croire que d'Alembert, humblement incliné devant le patriarche, suivît sans le discuter le mot d'ordre envoyé de Ferney. Quand un ami de Voltaire déplaît à d'Alembert, il lui fait résolument la guerre. Si Voltaire, par une vieille habitude, appelle Richelieu son héros, d'Alembert le nomme Childebrand. Si Voltaire défend le vieillard jadis aimable et brillant, d'Alembert aussitôt se permet d'étriller Rossinante-Childebrand. Lorsqu'une aventure scandaleuse, qui fit alors beaucoup de bruit, vient déshonorer, à la satisfaction peu dissimulée de d'Alembert, celui qu'on nommait à l'Académie le chef du parti catholique, d'Alembert plaint son admirateur habituel de ne pouvoir cette fois parler librement sur Mandrin-Childebrand, qu'il ose, dans une lettre à Voltaire, rapprocher de Cartouche-Fréron. Une vieille coquetterie d'esprit rapproche Voltaire de Mme du Deffant: d'Alembert, qui ne l'ignore pas, s'étonne qu'il écrive des lettres charmantes à cette *vieille et infâme catin.*

On a dit souvent et répété plus souvent encore que d'Alembert, à l'Académie française, faisait les élections: c'est presque une accusation. Celui qui fait les élections en est responsable. D'Alembert ne l'était pas: l'élection de son ancien ami Chabanon, faite deux ans après la mort de Voltaire et quatre ans avant celle de d'Alembert, en peut être citée comme preuve.

«Vous savez, lui avait écrit Voltaire, que Chabanon a la plus grande envie d'être des nôtres, mais les octogénaires de notre tripot ne sont pas encore morts ni moi non plus. J'attends pour vous en parler que la place soit vacante.» La place devient vacante; d'Alembert fait la sourde oreille; il voudrait Condorcet, que les deux amis, on ne sait pourquoi, ont pris l'habitude d'appeler Pascal. La candidature est cette fois impossible. «Nous n'aurons pas Pascal, dit d'Alembert, j'espère au moins que nous n'aurons pas Cotin-Chabanon qui demande l'Académie tout à la fois comme on demande l'aumône et comme on demande la bourse, et qui veut accumuler sur sa tête des titres au lieu de talents.»

Chabanon échoue.

«Nous avons préféré, écrit d'Alembert, ne pouvant avoir Pascal-Condorcet, à Chapelain-Lemierre et à Cotin-Chabanon, Eutrope Millot qui a du moins le mérite d'avoir écrit l'histoire en philosophe et de ne s'être jamais souvenu qu'il était jésuite et prêtre.» Chabanon avait été, vingt ou trente ans auparavant, il s'en vante du moins, l'ami très intime de d'Alembert.

Dans ses mémoires, platement écrits, où, sans esprit, sans tact et sans décence, il raconte longuement ses succès et ses déceptions d'amour, il fait jouer à d'Alembert le rôle de confident, et l'excellent géomètre lui prodigue sa sympathie et ses consolations. Chabanon, dans un jour de grande tristesse, entre chez d'Alembert, qui, du premier coup d'oeil, le voyant malheureux, l'accable de questions pleines d'intérêt sur la cause de son chagrin. Chabanon était amoureux et trahi.

«Comment peindre, dit-il, la sensibilité de d'Alembert et la fougueuse précipitation de ses mouvements? Fermer la porte aux deux verrous, ouvrir un petit escalier qui répondait à la boutique du vitrier, y crier: «Madame Rousseau, je n'y suis pour personne!» et revenir à moi, me serrer dans ses bras, ce ne fut pour lui que l'affaire d'un instant.»

Dans les premiers mots de d'Alembert reparaît cependant l'insensibilité affectée du sceptique railleur, sous lequel quelques contemporains ont méconnu l'homme tendre et bon. «Que voulez-vous! dit-il à Chabanon: vous avez commencé par être heureux!» Et il ajoute de la voix de fausset qui lui était particulière: «C'est toujours la fiche de consolation». Mais, ému par le désespoir de son ami, il prend aussitôt un autre ton: «Mon ami, lui dit-il, il faut éviter de rester avec vous-même. Jetez là les livres, voyez vos amis, courez, distrayez-vous. Toutes les fois que je vous serai nécessaire, je quitterai avec plaisir mon travail, et nous irons nous promener ensemble.»

Pourquoi les sentiments de d'Alembert avaient-ils changé? Les oeuvres de Chabanon l'expliquent. D'Alembert ne se résignait pas, par amour pour l'Académie, à y voir siéger l'auteur d'*Éponine*. Chapelain-Lemierre et Cotin-Chabanon finirent tous deux par forcer la porte: le meilleur des deux—c'était Chapelain—ne passa que le second.

Cette double victoire remportée sur d'Alembert le justifie du reproche adressé par un écrivain qu'on n'a pas encore complètement oublié, Sénac de Meilhan, qui a écrit:

«L'intrigue et la cabale mirent dans les mains de d'Alembert, qui survécut à Voltaire, le sceptre de la littérature.»

Rien n'est juste dans cette phrase et rien n'est vrai, sinon que d'Alembert a eu le chagrin d'assister à la mort de Voltaire.

CHAPITRE V

D'ALEMBERT ET LA SUPPRESSION DES JÉSUITES

Un personnage alors considérable—c'était le maréchal Vaillant—me disait un jour: «Je passe l'été dans une petite commune de Bourgogne; là, quoique voltairien, chaque dimanche ma présence à l'église édifie les fidèles: vous me direz que c'est de l'hypocrisie!—Ah! maréchal! répondis-je sans hésitation...—Vous voulez dire, continua-t-il, que ce n'est pas de l'hypocrisie: vous me feriez plaisir en m'expliquant pourquoi.»

Je fus embarrassé; il s'y attendait et nous rîmes tous deux.

D'Alembert, incrédule convaincu et plus voltairien que Voltaire, affectait quelquefois, dans ses écrits et souvent dans ses discours académiques, des formes respectueuses qui contrastent avec le ton de sa correspondance. Pour l'accuser cependant d'hypocrisie, il faudrait ne l'avoir jamais connu. En ne compromettant ni l'Académie ni lui-même, il faisait preuve de tact et de prudence. Il riait de sa sagesse. Après avoir prononcé l'éloge de Bossuet, il reçut de l'archevêque de Toulouse des louanges très méritées; il se frottait les mains et se réjouissait d'avoir si gravement joué à l'orthodoxie. S'il a pris trop de plaisir à ce jeu, le péché n'est pas grave. D'Alembert, très sérieux au fond, affectait de ne pas l'être. Voltaire lui a reproché quelquefois un langage trop éloigné de sa pensée.

«Vous me faites, lui répond un jour d'Alembert, une querelle de Suisse que vous êtes, au sujet du Dictionnaire de Bayle. Premièrement je n'ai pas dit: «Heureux s'il eût plus respecté la religion et les moeurs!» Ma phrase est beaucoup plus modeste. Mais, d'ailleurs, qui ne sait que dans ce maudit pays où nous écrivons, ces sortes de phrases sont style de notaire et servent de passeport aux vérités qu'on veut établir? Personne n'y est trompé...» Il faut connaître la situation. «On vient, écrivait peu de temps après d'Alembert, de publier une déclaration qui inflige la peine de mort à tous ceux qui seront convaincus d'avoir composé, fait composer et imprimer des écrits tendans à attaquer la religion.»

«La crainte des fagots est très rafraîchissante», ajoute d'Alembert. C'est à ceux qui les préparaient que fait allusion ce mot de ralliement si connu: *Écrasons l'infâme*. Il avait cours entre amis seulement et les portes fermées; on ne confiait pas les lettres à la poste. Quand on ne peut combattre en rase campagne, les embuscades sont permises. Qu'un croyant aspire au martyre, il joue son jeu et vise au paradis. Un mécréant n'a pas d'ambitions si hautes.

D'Alembert ne craignait pas sérieusement d'être brûlé, mais il ne voulait pas s'exposer comme Diderot à habiter à Vincennes, ni comme Voltaire à s'exiler hors de France. Son coeur le retenait à Paris. Il ne voulait compromettre ni ses intérêts ni son repos. Voltaire cependant excitait son zèle; il ne lui demandait que cinq ou six bons mots par jour. Lui-même d'ailleurs conseillait la prudence et en donnait l'exemple. «Je voudrais, disait-il, que chacun des frères lançât tous les ans des flèches de son carquois contre le monstre, sans qu'il sût de quelle main les coups partent. Il ne faut rien donner sous son nom. Je n'ai pas même fait *la Pucelle*. Je dirai à maître Joly de Fleury que c'est lui qui l'a faite.»

Voltaire, pas plus que d'Alembert, ne se souciait de boire la ciguë. Il consentait pour éloigner ce calice à communier dans l'église de Ferney. À Abbeville, où le chevalier de la Barre venait d'être supplicié, il aurait mis chapeau bas devant toutes les processions.

D'Alembert publia en 1765 un livre intitulé: *Histoire de la destruction des Jésuites*, par un auteur désintéressé. En l'imprimant en Suisse, on avait, suivant le conseil de Voltaire, soigneusement caché le nom de l'auteur. On feignait au moins de le croire et l'on s'amusait du mystère. C'est à mots couverts que Voltaire donne des nouvelles de l'impression. On prépare un ouvrage de géométrie, et sur ce thème les deux amis rencontrent, sans songer que jamais ils en amuseront le public, des plaisanteries qui les réjouissent. Deux ans après, d'Alembert écrit à Voltaire à propos de la dispersion des jésuites d'Espagne: «Notre jeune mathématicien a fait une petite suite pour l'ouvrage que vous connaissez où il traite de l'état de la géographie en Espagne. Vous le recevrez incessamment.»

Voltaire le reçoit et répond:

«J'ai envoyé vos gants d'Espagne sur-le-champ à leur destination; leur odeur m'a réjoui le nez.»

Le livre fut introduit à Paris par les soins de Marin (frère Marin), secrétaire du lieutenant de police. Ceux qui en reçurent les premiers exemplaires remercièrent le frère d'Alembert. Il ne faut pas regarder le secret, bien ou mal gardé, ni surtout l'impression à l'étranger comme des précautions inutiles. Les ouvrages dans ce cas ne formaient pas délit. La police pouvait les interdire, le

Parlement n'avait pas à les juger. Le livre de d'Alembert était défendu, mais il circulait librement. Un an après sa publication, Diderot écrivait: «Le livre de d'Alembert sur la destruction des jésuites, qui n'est rien, a fait plus de sensation dans Paris que les quatre volumes de ses opuscules mathématiques».

Lorsque d'Alembert se déclare impartial, il a l'intention de l'être; comme historien, il y réussit. La première partie du livre devait, pour ses amis étonnés, ressembler à une apologie de la société de Jésus. L'histoire de Loyola et des ingénieux statuts qu'il inventa n'inspire à d'Alembert ni railleries ni bons mots.

Les jésuites sont irréprochables dans leurs moeurs, fidèles à leurs voeux, laborieux dans leurs études et dévoués à la tâche qui leur est confiée. On a bien fait cependant de les supprimer. On ferait mieux encore de supprimer leurs ennemis les jansénistes et avec eux tous les ordres religieux.

C'est ainsi que, fidèle à sa promesse, l'auteur désintéressé pourrait, à l'inverse de Sosie, se présenter, en disant:

«Messieurs, ennemi de tout le monde», car il l'est aussi des parlementaires, et déclare, à huis clos bien entendu, «qu'il se plaît à cingler, sans qu'on sache d'où le coup vient, la canaille jésuitique, la canaille janséniste et la canaille parlementaire».

Les moins maltraités sont les jésuites. Les jansénistes ne s'y trompèrent pas.

«Les gens raisonnables, dit d'Alembert, ont trouvé l'ouvrage impartial et utile, mais les conseillers de la cour janséniste, en attendant le prophète Élie, qui aurait bien dû leur prédire cette tuile qui leur tombe sur la tête, ont crié comme tous les diables.

«Ce qu'il y a de plaisant, c'est que cette canaille trouve mauvais qu'on lui applique sur le dos des coups de bûche qu'elle se fait donner sur la poitrine.»

La plaisanterie n'est pas heureuse; d'Alembert, toujours le fouet à la main, promet des coups plus rudes encore.

«J'enverrai prochainement à frère Gabriel, dit-il (Gabriel est le libraire Cramer), de quoi les faire brailler encore, car pendant qu'ils sont en train de braire il n'y a pas de mal à leur tenir la bouche ouverte. J'ai commencé par les croquignoles, je continuerai par des coups de houssine; ensuite viendront les coups de gaule, et je finirai par les coups de bâton.»

Il rêve mieux que le bâton et ajoute: «Mon Dieu! l'odieuse et plate canaille! mais elle n'a pas longtemps à vivre et je ne lui épargnerai pas les coups de stylet!» La houssine, le bâton, le stylet, c'est toujours la même plume, diversement taillée, et l'apparente férocité de d'Alembert n'est au fond qu'un petit accès de vanité. D'Alembert rit et s'amuse, il ne veut poignarder personne. Il varie ses plaisanteries.

«S'ils avalent ce crapaud, dit-il dans une autre lettre, je leur servirai d'une couleuvre, elle est toute prête. Je ferai seulement la sauce plus ou moins piquante selon que je les verrai plus ou moins en appétit. Je respecterai toujours, comme de raison, la religion, le gouvernement et même les ministres, mais je ne ferai pas de quartier à toutes les *autres* sottises et assurément j'aurai de quoi parler.»

Voltaire devait être content cette fois: ce n'est pas là style de notaire. D'Alembert aussi était content de lui-même, Voltaire lui écrivait:

«Cher défenseur de la raison, *macte animo*, et passez joyeusement votre vie à écraser de votre main les têtes de l'hydre.» «Je ne vous le dissimule pas, mon cher maître, répondait d'Alembert, vous me comblez de satisfaction par tout ce que vous me dites de mon ouvrage. Je le recommande à votre protection et je crois qu'en effet il pourra être utile à la cause commune et que *l'infâme*, avec toutes les révérences que je fais semblant de lui faire, ne s'en trouvera pas mieux. Si j'étais, comme vous, assez loin de Paris pour lui donner des coups de bâton, assurément ce serait de tout mon coeur, de tout mon esprit et de toutes mes forces, comme on prétend qu'il faut aimer Dieu, mais je ne suis posté que pour lui donner des croquignoles, en lui demandant pardon de la liberté grande, et il me semble que je ne m'en suis pas mal acquitté.»

Dans la première partie du livre de d'Alembert, les croquignoles ne pleuvent pas encore.

«On ne peut mieux comparer cette société, partout entourée d'ennemis et partout triomphante l'espace de deux siècles, dit d'Alembert, qu'aux marais de Hollande, cultivés par un travail opiniâtre, assiégés par la mer qui menace à chaque instant de les engloutir, et sans cesse opposant leurs digues à cet élément destructeur.

«Qu'on perce la digue en un seul endroit, la Hollande sera submergée après tant de siècles de travaux et de vigilance. C'est aussi ce qui est arrivé à la société. Ses ennemis ont enfin trouvé l'endroit faible et percé la digue; mais ceux qui l'avaient construite avec tant de soin et de patience, ceux qui ont ensuite veillé si longtemps à sa conservation, ceux qui ont cultivé avec tant de succès le terrain que protégeait cette digue, n'en méritent pas moins d'éloges.»

Dans la distribution des coups de houssine, les jésuites, on le voit, n'ont pas leur juste part.

D'Alembert raconte le rôle des jésuites pendant le premier siècle et les raisons, fort honorables pour eux, de leurs succès:

«La libéralité qui admet et encourage tous les talents, la longue durée du noviciat, les sérieuses épreuves qui précèdent l'engagement: nul n'est admis sans vocation et sans un dévouement à toute épreuve.

«Les pratiques religieuses leur sont rendues faciles: qui travaille prie. Ils se lèvent, a-t-on dit par raillerie, à quatre heures du matin pour réciter ensemble des litanies à quatre heures du soir. C'est qu'ils croient plus honorable et plus utile d'avoir parmi eux des Pétau et des Bourdaloue que des fainéants et des chantres.»

Tout cela n'est certes pas d'un adversaire fanatique et aveugle.

«Les jésuites sont unis pour le bien de la cause commune. Dans les autres sociétés, les intérêts et les haines réciproques des particuliers nuisent presque toujours au bien du corps. Chez les jésuites il en est autrement. Attaquez un seul d'entre eux, vous êtes sûr d'avoir la société pour ennemie. Jamais républicain n'aima la patrie comme chaque jésuite aime sa société. Le dernier de ses membres s'intéresse à sa gloire, dont il croit qu'il rejaillit sur lui quelques rayons. Ce n'est pas sans raison qu'on les a définis une épée dont la pointe est à Rome.

«Cet attachement des jésuites à leur compagnie ne peut être que l'effet de l'orgueil qu'elle leur inspire et nullement des avantages qu'elle procure à chacun de ses membres. Le mérite modeste ou borné au travail de cabinet y est méconnu, peu considéré, quelquefois persécuté si l'intérêt de la société le demande.

«À tous ces moyens d'augmenter leur considération et leur crédit, ils en joignent un autre, non moins efficace. C'est la régularité de la conduite et des moeurs. Leur discipline sur ce point est aussi sévère que sage, et, quoi qu'en ait publié la calomnie, il faut avouer qu'aucun ordre religieux ne donne moins de prise à cet égard. Ceux d'entre eux qui ont enseigné la morale la plus monstrueuse, qui ont écrit sur les matières les plus obscènes, ont mené la vie la plus édifiante et la plus exemplaire. C'était au pied du crucifix que le père Sanchez écrivit ses abominables et dégoûtants ouvrages, et on a dit en particulier d'Escobar, également connu par l'austérité de ses moeurs et le relâchement de sa morale, qu'il achetait le ciel bien cher pour lui-même et le donnait à bon marché aux autres.»

D'Alembert raconte l'histoire des lettres de change signées par les jésuites d'Amérique et non payées en Europe, le procès commercial fait par les négociants de Lyon et de Marseille à ces marchands auxquels leurs statuts prescrivaient la pauvreté. Chaque profès en effet avait prononcé ce serment: «Je ne travaillerai jamais, en aucune façon, ni ne consentirai jamais au changement des règlements faits sur la pauvreté par les constitutions de la société, si ce n'est quand, par de justes causes, les circonstances pourront exiger que cette pauvreté soit encore restreinte davantage».

On faisait remarquer cependant qu'on peut être pauvre au milieu de l'abondance. Si la société possédait des biens considérables, les membres de ce corps devenu opulent pourraient encore pratiquer la pauvreté évangélique.

Cette ingénieuse remarque justifiait tout. La banqueroute était un malheur impossible à prévoir. Cela était vrai, mais ce malheur n'arrive pas sans qu'on s'y soit exposé. La malédiction des richesses tombe plus encore que sur les riches sur ceux qui ont soif de le devenir. La banqueroute des jésuites, importante par le chiffre des intérêts engagés—les dettes s'élevaient à 3 millions,—l'était surtout par les révélations qui en sortaient. Elle fut portée à la grand'chambre du Parlement de Paris. Les jésuites furent condamnés, aux applaudissements de la foule qui encombrait le palais, à payer les dettes de leurs frères, avec défense de faire du commerce. La joie fut universelle.

Ce fut le commencement de leurs malheurs. Leurs constitutions, qu'il fallut produire, furent déclarées contraires aux lois du royaume, à l'obéissance due au souverain, à la sûreté de sa personne et à la tranquillité de l'État.

Après avoir jusque-là conservé en racontant les faits son rôle d'historien impartial, d'Alembert rencontre la question de droit; sa doctrine est singulière. La suppression des jésuites était utile à la tranquillité publique; il faut applaudir sans se soucier des motifs allégués. Les moyens juridiques, il le déclare et l'approuve, ne sont et ne devaient être que des prétextes. «Ce n'est pas parce qu'on croit les jésuites plus mauvais Français que les autres religieux qu'il faut les disperser et les détruire, c'est parce qu'on les sait plus redoutables. Ce motif, quoique non *juridique*, est meilleur qu'il ne faut pour s'en défaire.»

Singulière et dangereuse doctrine sur les devoirs et les droits du premier tribunal de l'État.

D'Alembert, toujours franc, ajoute, pour que sa pensée soit bien comprise:

«La ligue de la nation contre les jésuites ressemble à la ligue de Cambrai contre la république de Venise, qui avait pour principale cause les richesses et l'insolence de ces républicains.»

«Les pères, ajoute-t-il, ont osé prétendre, et plusieurs évêques ont osé l'imprimer, que le gros recueil d'assertions extrait des auteurs jésuites par ordre du Parlement, recueil qui a servi de motif principal pour leur destruction, n'aurait pas dû opérer cet effet; qu'il avait été composé à la hâte par des prêtres jansénistes et mal vérifié par des magistrats peu propres à ce travail; qu'il était plein de citations fausses, de passages tronqués et mal entendus, d'objections prises pour des réponses, enfin de mille autres infidélités semblables.

«Telle est la prétention des jésuites. Les magistrats, dit d'Alembert, ont pris la peine de répondre. À quoi bon?

«On ne peut nier, ajoute-t-il, que parmi un grand nombre de citations exactes, il ne soit échappé quelques méprises; elles ont été avouées sans peine; mais ces méprises, quand elles seraient beaucoup plus fréquentes, empêchent-elles que le reste ne soit vrai?» D'Alembert ici se borne à oublier les leçons reçues à l'École de droit. Mais ce qui suit dépasse toute mesure.

«La plainte des jésuites et de leurs défenseurs fût-elle aussi juste qu'elle le paraît peu, qui se donnera la peine de vérifier tant de passages? En attendant que la vérité s'éclaircisse, si de pareilles vérités en valaient la peine, le recueil aura produit le bien que la nation désirait: l'anéantissement des jésuites.»

Et ce n'est pas dans une lettre confidentielle, c'est dans le livre même de l'auteur désintéressé qu'on peut lire cet étrange passage.

Le tort fait à la justice et à la morale par un arrêt motivé sur des calomnies (telle est l'hypothèse) ne serait-il pas précisément conforme aux principes les plus dangereux reprochés à la société? On pourrait applaudir à l'expulsion franchement décidée et sans procédure, pour raison d'État; mais les faux griefs, mêlés ou non à des accusations fondées, ne sauraient trouver d'approbateurs.

D'Alembert, remarquons-le bien, n'admet pas la fausseté des griefs, mais il déclare, sans nécessité par conséquent, que, les reproches eussent-ils été des calomnies, il faudrait se réjouir et approuver.

Telle n'était pas au fond, telle ne pouvait être sa doctrine. Deux ans après, à propos de la suppression des jésuites d'Espagne, il écrivait à Voltaire:

«Croyez-vous tout ce qu'on dit à ce sujet? croyez-vous à la lettre de M. d'Ossun, lue en plein Conseil et qui marque que les jésuites avaient formé le complot d'attaquer, le jeudi saint, bon jour, bonne oeuvre, le roi d'Espagne et toute la famille royale? Ne croyez-vous pas comme moi qu'ils sont assez méchants, mais non pas assez fous pour cela, et ne désirez-vous pas que cette nouvelle soit tirée au clair? Mais que dites-vous de l'idée du roi d'Espagne qui les chasse si brusquement? Persuadé comme moi qu'il a eu pour cela de bonnes raisons, ne pensez-vous pas qu'il aurait bien fait de les dire et de ne pas les renfermer dans son *coeur royal?* Ne pensez-vous pas qu'on pourrait permettre aux jésuites de se justifier, surtout quand on croit être sûr qu'ils ne le peuvent pas? Ne pensez-vous pas encore qu'il serait bien injuste de les faire tous mourir de faim, si un seul frère coupable ou non s'avise d'écrire bien ou mal en leur faveur?»

À propos du jésuite Malagrida, brûlé à Lisbonne pour de bien faibles motifs, d'Alembert ajoute: «C'est une chose plaisante que l'embarras où les jésuites et les jansénistes se trouvent à l'occasion de cette victime immolée par l'Inquisition. Les jésuites, dévoués jusque-là à ce tribunal de sang, n'osaient plus en prendre le parti depuis qu'il avait brûlé un des leurs. Les jansénistes commençaient à le trouver juste dès qu'il eut condamné un jésuite aux flammes. Ils assurèrent et imprimèrent que l'Inquisition n'était pas ce qu'ils avaient cru jusqu'alors, et que la justice s'y rendait avec beaucoup de sagesse et de maturité.»

On aimerait à voir d'Alembert et Voltaire plus humains et moins aveuglés par la passion que les chrétiens fort imparfaits qu'ils attaquent; ni l'un ni l'autre n'aurait allumé ni regardé le bûcher, mais ils en riaient et de loin feignaient d'y penser avec plaisir. D'Alembert, à l'occasion de la tragédie d'*Olympie* faite par Voltaire en six jours, lui écrit:

«Donnez-nous vite votre oeuvre des six jours, mais ne faites pas comme Dieu et ne vous reposez pas le septième. Ce n'est point un plat compliment que je prétends vous faire; mais je ne vous dis que ce que j'ai déjà dit cent fois à d'autres. Vos pièces seules ont du mouvement et de l'intérêt et, ce qui vaut bien cela, de la philosophie, non pas de la philosophie froide et parlière, mais de la philosophie en action. Je ne vous demande plus d'échafaud, je sais et je respecte toute la répugnance que vous y avez, quoique depuis Malagrida les échafauds aient leur mérite.»

A la lueur d'un bûcher le rire devient sinistre; d'Alembert, en l'oubliant, fait penser à ce mot de Grimm: «Il semble voir des enfants qui jouent avec les instruments du bourreau».

Les jésuites, condamnés, traînaient l'affaire en longueur. «Le gouvernement hésitait. Une circonstance fortuite précipita leur ruine. On reçut à la fin de mars 1762 la triste nouvelle de la prise de la Martinique par les Anglais. La prudence du gouvernement voulut prévenir les plaintes qu'une si grande perte devait causer dans le public. On imagina, pour faire diversion, de donner aux Français un autre objet d'entretien; comme autrefois Alcibiade avait imaginé de faire couper la queue à son chien pour empêcher les Athéniens de parler d'affaires plus sérieuses, on déclara donc au principal des jésuites qu'ils n'avaient plus qu'à obéir au Parlement et à cesser leurs leçons.»

«Il est certain, ajoute d'Alembert, toujours sincère, que la plupart des jésuites, ceux qui dans cette société comme ailleurs ne se mêlent de rien, et qui y sont en plus grand nombre qu'on ne croit, n'auraient pas dû, s'il eût été possible, porter la peine des fautes de leurs supérieurs. Ce sont des milliers d'innocents qu'on a confondus à regret avec une vingtaine de coupables. De plus, ces innocents se trouvaient par malheur les seuls punis et les seuls à plaindre, car les chefs avaient obtenu par leur crédit des pensions dont ils pouvaient jouir à leur aise, tandis que la multitude immolée restait sans pain comme sans appui. Tout ce qu'on a pu alléguer en faveur de l'arrêt général d'expulsion prononcé contre ces pères, c'est le fameux passage de Tacite au sujet de la loi des Romains qui condamnait à mort tous les esclaves d'une maison pour le crime d'un seul.

Habet aliquid ex iniquo omne magnum exemplum.

«Tout grand exemple a quelque chose d'injuste.»

Il faut s'y résigner, il y a deux morales, ou, ce qui serait plus triste encore, contre l'intérêt public allégué, il n'en faut invoquer aucune.

Continuons l'analyse du livre.

«Quelques parlements n'avaient rien prononcé contre l'institut, et les jésuites subsistaient encore en entier dans une partie de la France. Il y avait lieu d'appréhender qu'au premier signal de ralliement la partie dispersée, se rejoignant tout à coup à la partie réunie, ne formât une société nouvelle, avant même qu'on fût en état de la combattre. La sagesse et l'honneur même du gouvernement semblaient exiger que la jurisprudence à l'égard des jésuites, quelle qu'elle pût être, fût conforme dans tout le royaume. Ces vues paraissent avoir dicté l'édit par lequel on vient d'abolir la société dans toute l'étendue de la France.»

Tout s'était réuni pour accabler les jésuites et préparer leur ruine. Aux griefs accumulés contre eux ils avaient ajouté deux fautes capitales. Nous n'en rappelons qu'une.

«Ils avaient refusé, par des motifs de respect humain, de recevoir sous leur direction des personnes puissantes (Mme de Pompadour) qui n'avaient pas lieu d'attendre d'eux une sévérité si singulière à tant d'égards. Ce refus indiscret a contribué à précipiter leur ruine. Ainsi ces hommes qu'on avait tant accusés de morale relâchée et qui ne s'étaient soutenus à la cour que par cette morale même, ont été perdus dès qu'ils ont voulu, même à leur grand regret, professer le rigorisme. Matière abondante de réflexion et preuve évidente que les jésuites depuis leur naissance jusqu'à cette époque avaient pris le bon chemin pour se soutenir, puisqu'ils ont cessé d'être dès qu'ils s'en sont écartés.» «Il est certain, telle est la conclusion de d'Alembert, que l'anéantissement de la société peut procurer à la raison de grands avantages, pourvu que l'intolérance janséniste ne succède pas en crédit à l'intolérance jésuitique. Car, on ne craint pas de l'avancer, entre ces deux sectes l'une et l'autre méchantes et pernicieuses, si on était forcé de choisir, en leur supposant le même degré de pouvoir, la société qu'on vient d'expulser serait la moins tyrannique. Les jésuites, gens accommodants pourvu qu'on ne se déclare pas leur ennemi, permettent assez qu'on pense comme on voudra. Les jansénistes, sans égards comme sans lumières, veulent qu'on pense comme eux. S'ils étaient les maîtres, ils exerceraient sur les ouvrages, sur les esprits, sur les discours, sur les moeurs l'inquisition la plus violente.

«Les jésuites étaient des troupes régulières, ralliées et disciplinées sous l'étendard de la superstition. C'était la phalange macédonienne qu'il importait à la raison d'avoir rompue et détruite. Les jansénistes ne sont que des cosaques et des pandours dont la raison aura bon marché.»

Impartial comme il l'a promis, d'Alembert est contre tous également implacable.

Le livre sur la destruction des jésuites obtint un grand succès et souleva de violentes colères. L'auteur, s'il faut en croire Voltaire qui cite de mémoire et invente quelquefois, fut traité d'hyène, de Philistin, d'Amorrhéen, de bête puante, de Satan et de Rabsacès.

Les pamphlets les plus envenimés ne vivent guère; la trace des invectives disparaît avec eux. La plupart s'adressaient moins à d'Alembert qu'au parti des philosophes tout entier.

L'yenne du Gévaudan, dit l'auteur anonyme d'une *lettre à un ami* sur le livre nouveau, a fait moins de mal que les écrits publiés depuis peu.

L'auteur de la *lettre à un ami*, qui s'appelait, je crois, le père Guidy, veut parler des écrits condamnés récemment par l'assemblée générale du clergé (août 1765) dans des termes d'une violence presque égale:

«Une multitude d'écrivains téméraires, disaient les évêques réunis, ont foulé aux pieds les lois divines et humaines. Les vérités les plus saintes ont été obscurcies et les principes de la monarchie ébranlés. Rien n'a été respecté ni dans l'ordre civil, ni dans l'ordre spirituel. La majesté de l'Être suprême et celle des rois sont outragées et l'on ne peut se dissimuler que dans l'ordre de la foi, dans celui des moeurs, dans l'ordre même de l'État, l'esprit du siècle semble le menacer d'une révolution qui présage de toutes parts une ruine et une destruction totale.»

Le clergé voyait juste. Mais l'Encyclopédie dans ses craintes n'occupe qu'une petite part, et le livre sur la destruction des jésuites était à peine signalé.

Il n'est pas vrai non plus, quoique Voltaire, heureux d'enrichir d'un mot nouveau le sottisier littéraire, l'ait répété plusieurs fois, que d'Alembert ait été appelé Rabsacès. J'ai trouvé le passage.

D'Alembert avait écrit:

«La philosophie, à laquelle les jansénistes avaient déclaré une guerre presque aussi vive qu'à la Compagnie de Jésus, avait fait malgré eux et par bonheur pour eux des progrès semblables. Les jésuites, intolérants par système et par état, n'en étaient devenus que plus odieux. On les regardait, si je puis parler de la sorte, comme les grands grenadiers du fanatisme, comme les plus dangereux ennemis de la raison et comme ceux dont il lui importait le plus de se défaire. Les parlements, quand ils ont commencé à attaquer la Société, ont trouvé cette disposition dans tous les esprits. C'est proprement la philosophie qui par la bouche des magistrats a porté l'arrêt contre les jésuites. Le jansénisme n'a été que le solliciteur.»

C'est à l'occasion de ce passage que l'un des auteurs des deux pamphlets très différents portant tous deux pour titre *le Philosophe redressé* a provoqué par l'introduction du nom de Rabsacès l'ironie dangereuse de Voltaire.

«Quand j'accorderais, dit-il, à ces prétendus destructeurs des jésuites la gloire, dont ils paraissent jaloux, d'avoir prononcé l'arrêt de leur ruine, est-ce qu'il ne faudra pas toujours dire que c'est Dieu qui s'est servi de blasphémateurs, Rabsacès à leur tête, pour tailler en pièces les Éthiopiens, tellement qu'il ne resta personne de leur côté pour enterrer les morts, tandis que les philosophes de Jérusalem s'applaudissaient de leur politique, qui, disaient-ils, avait fait par leur diversion lever le siège aux Assyriens?»

L'allusion n'est pas claire; en consultant la Bible on la trouve plus obscure encore. L'auteur avait oublié les détails du siège de Jérusalem; mais il n'a pas appelé d'Alembert Rabsacès.

On lui en a dit bien d'autres:

«Ne serait-ce pas s'avilir et faire trop d'honneur à cet écrivain que de qualifier en détail toutes ses contradictions? Un monstre devant un miroir doit avoir horreur de lui-même.»

«L'auteur, disait un autre, est un philosophe qui ose tout contre la vérité et qui, distrait sur son ignorance, se croit un savant du premier ordre. On pourrait définir son écrit: «Pot-pourri ou Recueil d'invectives ineptes contre la religion.»

La menace se mêle à l'injure:

«S'il n'est pas chrétien, qu'il ne s'avise pas de le dire; il pourrait bien se faire chasser par le peuple à coups de pierre.»

D'Alembert n'était pas chrétien, on ne peut le nier; mais, pour le lapider sans crime, il fallait attendre une condamnation; le supplice sans cela n'aurait pas été régulier.

D'autres, plus modérés, se contentaient de dédaigner son talent littéraire. Dans un pamphlet signalé par Bachaumont on déclare que chez lui la vérité se montre sans beauté et l'erreur se cache sans finesse. Il veut être le singe de Pascal, il n'est qu'un Pasquin. Bachaumont ajoute: «Et cela est vrai».

Le nom de l'auteur désintéressé était connu de tous. La mort de Clairaut laissa vacante à l'Académie des sciences une des places de pensionnaire. D'Alembert, membre de l'Académie depuis vingt-deux ans et depuis dix ans déjà pensionnaire surnuméraire, ne touchait qu'une partie de la pension. Il avait tous les droits à remplacer Clairaut; l'usage le désignait, son mérite l'imposait, et l'Académie, par un vote unanime, le présentait au choix du roi.

L'accueil fait au directeur de l'Académie fut très froid. Le ministre, sans refuser, répondit: «Nous ne sommes pas contents de M. d'Alembert». On laissa la pension disponible, et l'un des membres de l'Académie, dont le nom est resté justement populaire, Vaucanson, eut l'indélicatesse de la demander. Les protestations furent unanimes, et cette mesquine persécution fit tant de bruit, sans que d'Alembert s'en mêlât en rien, qu'après un an d'attente la pension lui fut attribuée.

D'Alembert écrit à Lagrange:

«Je dois vous apprendre qu'on s'est enfin lassé de me refuser cette misérable pension qu'à la vérité je n'ai jamais demandée, mais que l'Académie demandait vivement pour moi. J'en ai fait au ministre un remerciement très succinct et très sec, et je me suis su bon gré de n'avoir démenti dans cette ridicule affaire ni mes principes ni ma conduite antérieure, dont j'espère, par la grâce de Dieu, ne jamais me départir.»

CHAPITRE VI

D'ALEMBERT ET FREDERIC

D'Alembert écrivait un jour à Voltaire: «Je n'aime les grands que quand ils le sont comme vous, c'est-à-dire par eux-mêmes et qu'on peut vraiment se tenir pour honoré de leur amitié et de leur estime. Pour les autres, je les salue de loin, je les respecte comme je dois et je les estime comme je peux.»

Pour accepter l'amitié offerte par Frédéric, d'Alembert n'avait rien à changer ni à ses principes ni à ses défiances. Dans leur correspondance, dans leurs relations de chaque jour et de chaque heure pendant que d'Alembert était son hôte, le caractère royal effacé sans affectation par Frédéric était respecté sans flatterie par d'Alembert. L'estime et la sympathie mutuelle faisaient naître une amitié sincère; jamais le caractère ne s'en est démenti. Les affectueux égards du roi étaient payés par la reconnaissance et l'admiration du philosophe, sans que la liberté ait été menacée ni l'égalité mise en question. D'Alembert avait concouru en 1745 et obtenu un prix à l'Académie de Berlin. L'épigraphe du mémoire était une louange assez insignifiante adressée à l'illustre monarque, habilement tournée en vers latins, sans platitude et sans emphase. Le mémoire fut admiré par l'Académie, l'épigraphe remarquée par Frédéric.

Maupertuis, quelques années plus tard, voulait quitter Berlin, mal portant, malade, mourant peut-être de la diatribe du Dr Akakia. La situation pour lui était moralement amoindrie. Les flèches de Voltaire étaient empoisonnées et les blessures incurables. Malgré la protection très ferme et l'indignation très sincère du roi contre Voltaire, Maupertuis, d'autant plus sensible qu'en frappant beaucoup trop fort, la diatribe avait touché très juste, avait perdu toute autorité morale. Élevé trop haut naguère, il était précipité trop bas. Son importance académique était détruite.

Le roi fit offrir à d'Alembert, avec des avantages considérables, la présidence de son Académie. C'était en 1752. D'Alembert était pauvre; les dispensateurs des pensions et des faveurs en France n'étaient pas alors et ne furent jamais ses amis. Il ne pouvait espérer dans l'avenir ni la fortune ni l'aisance. Il refusa pourtant sans hésiter. Les instances redoublèrent sans l'ébranler.

Aucune analyse ne peut remplacer les lettres échangées, réellement belles, parce qu'elles sont sincères et qu'aucun mot n'en est démenti par la vie de d'Alembert. À la lettre écrite par le marquis d'Argens pour lui communiquer les offres de Frédéric, d'Alembert répondit:

«On ne peut être, monsieur, plus sensible que je le suis aux bontés dont le roi m'honore. Je n'en avais pas besoin pour lui être tendrement et inviolablement attaché: le respect et l'admiration que ses actions m'ont inspirés, ne suffisent pas à mon coeur; c'est un sentiment que je partage avec toute l'Europe; un monarque tel que lui est digne d'en inspirer de plus doux et j'ose dire que je le dispute sur ce point à tous ceux qui ont l'honneur de l'approcher. Jugez donc, monsieur, du désir que j'aurais de jouir de ses bienfaits, si les circonstances où je me trouve pouvaient me le permettre; mais elles ne me laissent que le regret de ne pouvoir en profiter, et ce regret ne fait qu'augmenter ma reconnaissance. Permettez-moi, monsieur, d'entrer là-dessus dans quelques détails avec vous et de vous ouvrir mon coeur comme à un ami digne de ma confiance et de mon estime. J'ose prendre ce titre avec vous; tout semble m'y inviter: la lettre pleine de bonté que vous m'avez fait l'honneur de m'écrire; la générosité de vos procédés envers l'abbé de Prades, auquel je m'intéresse très vivement, et qui se loue, dans toutes ses lettres, de vous plus que de personne; enfin la réputation dont vous jouissez à si juste titre par vos lumières, par vos connaissances, par la noblesse de vos sentiments, et par une probité d'autant plus précieuse qu'elle est plus rare. «La situation où je suis serait peut-être, monsieur, un motif suffisant pour bien d'autres de renoncer à son pays. Ma fortune est au-dessous du médiocre; 1700 livres de rente font tout mon revenu. Entièrement indépendant et maître de mes volontés, je n'ai point de famille qui s'y oppose. Oublié du gouvernement, comme tant de gens le sont de la Providence, persécuté même autant qu'on peut l'être quand on évite de donner trop d'avantage sur soi à la méchanceté des hommes, je n'ai aucune part aux récompenses qui pleuvent ici sur les gens de lettres avec plus de profusion que de lumières. Une pension très modique, qui vraisemblablement me viendra fort tard, et qui à peine un jour me suffira si j'ai le bonheur ou le malheur de parvenir à la vieillesse, est la seule chose que je puisse raisonnablement espérer. Encore cette ressource n'est-elle pas trop certaine si la cour de France, comme on me l'assure, est aussi mal disposée pour moi que celle de Prusse l'est favorablement. Malgré tout cela, monsieur, la tranquillité dont je jouis est si parfaite et si douce, que je ne puis me résoudre à lui faire courir le moindre risque. Supérieur à la mauvaise fortune, les épreuves de toute espèce que j'ai essuyées dans ce genre, m'ont endurci à l'indigence et au malheur, et ne m'ont laissé de sensibilité que pour ceux qui me ressemblent. À force de privations, je me suis accoutumé sans effort à me contenter du plus étroit nécessaire, et je serais même en état de partager mon peu de fortune avec d'honnêtes gens plus pauvres que moi. J'ai commencé, comme les autres hommes, par désirer les places et les richesses, j'ai fini par y renoncer absolument: et de jour en jour je m'en trouve mieux. La vie retirée et obscure que je mène est parfaitement conforme à mon caractère, à mon amour extrême pour l'indépendance, et peut-être à un peu d'éloignement que les événements de ma vie m'ont inspiré pour les hommes. La retraite et le régime que me prescrivent mon état et mon goût m'ont procuré la santé la plus parfaite et la plus égale, c'est-à-dire le premier bien d'un philosophe. Enfin, j'ai le bonheur de jouir d'un petit nombre d'amis dont le commerce et la confiance font la consolation et le charme de ma vie. Jugez maintenant vous-même, monsieur, s'il m'est possible de renoncer à ces avantages, et de changer un bonheur sûr pour une situation toujours incertaine, quelque brillante qu'elle puisse être. Je ne doute nullement des bontés du roi, et de tout ce qu'il peut faire pour me rendre agréable mon nouvel état; mais, malheureusement pour moi, toutes les conditions essentielles à mon bonheur ne sont pas en son pouvoir. L'exemple de M. de Maupertuis m'effraye avec juste raison; j'aurais d'autant plus lieu de craindre la rigueur du climat de Berlin et de Potsdam, que la nature m'a donné un corps très faible et qui a besoin de tous les ménagements possibles. Si ma santé venait à s'altérer, ce qui ne serait que trop à craindre, que deviendrais-je alors? Incapable de me rendre utile au roi, je me verrais forcé à aller finir mes jours loin de lui, et à reprendre dans ma patrie, ou ailleurs, mon ancien état qui aurait perdu ses premiers charmes: peut-être même n'aurais-je plus la consolation de retrouver en France les amis que j'y aurais laissés, et à qui je percerais le coeur par mon départ. Je vous avoue, monsieur, que cette dernière raison seule peut tout sur moi; le roi est trop philosophe et trop grand pour ne pas en sentir le prix; il connaît l'amitié; il la ressent et il la mérite; qu'il soit lui-même mon juge.

«À ces motifs, monsieur, dont le pouvoir est le plus grand sans doute, je pourrais en ajouter d'autres. Je ne dois rien, il est vrai, au gouvernement de France, dont je crains tout sans en rien espérer; mais je dois quelque chose à ma nation, qui m'a toujours bien traité, qui me récompense autant qu'il est en elle par son estime, et que je ne pourrais abandonner sans une espèce d'ingratitude. Je suis d'ailleurs, comme vous le savez, chargé, conjointement avec M. Diderot, d'un grand ouvrage, pour lequel nous avons pris avec le public les engagements les plus solennels, et pour lequel ma présence est indispensable; il est absolument nécessaire que cet ouvrage se fasse et s'imprime sous nos yeux, que nous nous voyions souvent et que nous travaillions de concert. Vous connaissez trop, monsieur, les détails d'une si grande entreprise, pour que j'insiste davantage là-dessus. Enfin, et je vous prie d'être persuadé que je ne cherche point à me parer ici d'une fausse modestie, je doute que je fusse aussi propre à cette place que Sa Majesté veut bien le croire. Livré dès mon enfance à des études continuelles, je n'ai que dans la théorie la connaissance des hommes, qui est si nécessaire dans la pratique quand on a affaire à eux. La tranquillité et, si j'ose le dire, l'oisiveté du cabinet m'ont rendu absolument incapable des détails auxquels le chef d'un corps doit se livrer.

«D'ailleurs, dans les différents objets dont l'Académie s'occupe, il en est qui me sont entièrement inconnus, comme la chimie, l'histoire naturelle et plusieurs autres, sur lesquels, par conséquent, je ne pourrais être aussi utile que je le désirerais. Enfin, une place aussi brillante que celle dont le roi veut m'honorer, oblige à une sorte de représentation, tout à fait éloignée du train de vie que j'ai pris jusqu'ici; elle engage à un grand nombre de devoirs, et les devoirs sont les entraves d'un homme libre: je ne parle point de ceux qu'on rend au roi. Le mot de devoir n'est pas fait pour lui; les plaisirs qu'on goûte dans sa société sont faits pour consoler des devoirs et du temps qu'on met à les remplir. Enfin, monsieur, je ne suis absolument propre, par mon caractère, qu'à l'étude, à la retraite et à la société la plus fermée et la plus libre. Je ne vous parle point des chagrins, grands ou petits, nécessairement attachés aux places où l'on a des hommes et surtout des gens de lettres dans sa dépendance. Sans doute le plaisir de faire des heureux et de récompenser le mérite serait très sensible pour moi; mais il est fort incertain que je fisse des heureux, et il est infaillible que je ferais des mécontents et des ingrats. Ainsi, sans perdre les ennemis que je puis avoir en France, où je ne suis cependant sur le chemin de personne, j'irais à trois cents lieues en chercher de nouveaux. J'en trouverais, dès mon arrivée, dans ceux qui auraient pu aspirer à cette place, dans leurs partisans et dans leurs créatures; et toutes mes précautions n'empêcheraient pas que bien des gens se plaignissent et ne cherchassent à me rendre la vie désagréable. Selon ma manière de penser, ce serait pour moi un poison lent, que la fortune et la considération attachées à ma place ne pourraient déraciner.

«Je n'ai pas besoin d'ajouter, monsieur, que rien ne pourrait me résoudre à accepter, du vivant de M. de Maupertuis, sa survivance, et à venir, pour ainsi dire, à Berlin recueillir sa succession. Il était mon ami; je ne puis croire, comme on me l'a mandé, qu'il ait cherché, malgré ma recommandation, à nuire à l'abbé de Prades; mais quand j'aurais ce reproche à lui faire, l'état déplorable où il est suffirait pour m'engager à une plus grande délicatesse dans les procédés. Cependant cet état, quelque fâcheux qu'il soit, peut durer longtemps, et peut demander qu'on lui donne dès à présent un coadjuteur; en ce cas, ce serait un nouveau motif pour moi de ne me pas déplacer. Voilà, monsieur, les raisons qui me retiennent dans ma patrie; je serais au désespoir que Sa

Majesté les désapprouvât. Je me flatte, au contraire, que ma philosophie et ma franchise, bien loin de me nuire auprès de lui, m'affermiront dans son estime. Plein de confiance en sa bonté, sa sagesse et sa vertu, bien plus chères à mes yeux que sa couronne, je me jette à ses pieds, et je le supplie d'être persuadé qu'un des plus grands regrets que j'aurai dans ma vie, sera de ne pouvoir profiter des bienfaits d'un prince aussi digne de l'être, aussi fait pour commander aux hommes que pour les éclairer. Je m'attendris en vous écrivant. Je vous prie d'assurer le roi que je conserverai toute ma vie, pour sa personne, l'attachement le plus désintéressé, le plus fidèle et le plus respectueux; et que je serai toujours son sujet au moins dans le coeur, puisque c'est la seule façon dont je puisse l'être. Si la persécution et le malheur m'obligent un jour à quitter ma patrie, ce sera dans ses États que j'irai chercher un asile: je ne lui demanderai que la satisfaction d'aller mourir auprès de lui libre et pauvre.

«Au reste, je ne dois point vous dissimuler, monsieur, que longtemps avant le dessein que le roi vous a confié, le bruit s'est répandu, sans fondement comme tant d'autres, que Sa Majesté songeait à moi pour la place de président. J'ai répondu à ceux qui m'en ont parlé, que je n'avais entendu parler de rien, et qu'on me faisait beaucoup plus d'honneur que je ne méritais. Je continuerai, si on m'en parle encore, à répondre de même, parce que, dans ces circonstances, les réponses les plus simples sont les meilleures. Ainsi, monsieur, vous pouvez assurer Sa Majesté que son secret sera inviolable; je le respecte autant que sa personne, et mes amis ignoreront toujours le sacrifice que je leur fais. J'ai l'honneur d'être, etc.»

L'estime de Frédéric redoubla. Ne pouvant réussir à attirer d'Alembert et n'y renonçant pas pour l'avenir, il lui fit offrir, par son ambassadeur, une pension de 1 200 livres. «Louis XV, dit Mme du Hausset, n'aimait pas le roi de Prusse,... les railleries de Frédéric l'avaient ulcéré... Il entra un jour chez Mme (de Pompadour) avec un papier à la main et lui dit: «Le roi de Prusse est certainement un grand homme; il aime les gens à talents et, comme Louis XIV, il veut faire retentir l'Europe de ses bienfaits envers les savants des pays étrangers. Voici, ajouta-t-il, une lettre de lui adressée à milord Maréchal pour lui ordonner de faire part à un homme supérieur de mon royaume d'une pension qu'il lui accorde.» Et, jetant les yeux sur la lettre, il lut ces mots: «Vous saurez qu'il y a un homme à Paris du plus grand mérite qui ne jouit pas des avantages d'une fortune proportionnée à ses talents et à son caractère. Je pourrais servir d'yeux à l'aveugle déesse et réparer au moins quelques-uns de ses torts; je vous prie d'offrir par cette considération...

«Je me flatte qu'il acceptera cette pension en faveur du plaisir que j'aurai d'avoir obligé un homme qui joint la beauté du caractère aux talents les plus sublimes de l'esprit.»

«Le roi s'arrêta: en ce moment arrivèrent MM. de Marigny et d'Ayen, auxquels il recommença la lettre et il ajouta: «Elle m'a été remise par le ministre des affaires étrangères, à qui l'a confiée milord Maréchal pour que je permette à ce *génie sublime* d'accepter ce bienfait. Mais, dit le roi, à combien croyez-vous que se monte ce bienfait?» Les uns dirent six, huit, dix mille livres. «Vous n'y êtes pas, dit le roi, à douze cents livres.

«—Pour des talents sublimes, dit le duc d'Ayen, ce n'est pas beaucoup. Le roi de Prusse aura le plaisir de faire du bruit à peu de frais.»

«M. de Marigny raconta cette histoire chez Quesnay et il ajouta que l'homme de génie était d'Alembert et que le roi avait permis d'accepter la pension. Sa soeur (Mme de Pompadour) avait, dit-il, insinué au roi de donner le double à d'Alembert et de lui défendre d'accepter la pension, mais il n'avait pas voulu, parce qu'il regardait d'Alembert comme un impie.»

Lorsque Maupertuis mourut, en 1759, Frédéric renouvela ses instances. D'Alembert refusa de nouveau. Voltaire le lui conseillait fort. «Que dites-vous, lui écrit-il, de Maupertuis mort entre deux capucins? Il était malade depuis longtemps d'une réplétion d'orgueil; mais je ne le croyais ni hypocrite, ni imbécile. Je ne vous conseille pas d'aller jamais remplir sa place à Berlin, vous vous en repentiriez. Je suis Astolphe qui avertit Roger de ne pas se livrer à l'enchanteresse Alcine, mais Roger ne le crut pas.»

En prévenant d'Alembert des dangers qu'il connaissait bien, Voltaire n'avait aucun tort. La main gantée de velours que Frédéric tendait gracieusement à d'Alembert pouvait égratigner les imprudents et broyer les ingrats. L'amitié de Frédéric n'était pas banale, et s'il respectait les génies sublimes, c'étaient ceux que lui-même jugeait tels. Le bon et grand Euler ne rencontrait à la cour et à l'Académie ni les avantages offerts à d'Alembert avec tant d'empressement, ni les égards que sa naïve bonhomie ne savait pas imposer. Frédéric le traitait avec la même bienveillance précisément qu'il montrait au jardinier de Sans-Souci quand il était content de ses services. Euler pour Frédéric n'était pas plus un ami que d'Alembert pour Louis XV. Louis XV disait en parlant de l'un: C'est un impie. Frédéric, s'il daignait s'en informer, pouvait dire d'Euler tout le contraire. Il était tolérant et le lui pardonnait, mais rien de plus. Euler, si d'Alembert l'avait consulté et s'il avait osé répondre, aurait donné le même conseil que Voltaire.

Un de ses neveux avait été incorporé dans un régiment. Le jeune homme se destinait au commerce; la famille était désolée. Euler adressa une supplique.

Le roi lui répondit:

«Comme je sais qu'il est d'une bonne taille, ce qui marque un tempérament flegmatique qui ne paraît pas propre pour l'activité et la souplesse si nécessaires à un habile marchand, je crois que la nature l'a destiné pour embrasser le métier des armes. J'espère que vous n'enverrez pas au susdit régiment cet homme, dont j'aurai soin de faire la fortune en votre considération.»

L'occasion était bonne de quitter Berlin; à la place d'Euler, d'Alembert n'y eût pas manqué.

Le voyage de d'Alembert à Berlin ne put avoir lieu que trois ans après la mort de Maupertuis, en 1762. Son empressement à profiter des offres de Frédéric n'eut, on le voit, rien d'indiscret. Frédéric lui-même n'était pas toujours de loisir. D'Alembert, pour accepter son invitation, choisit le moment où le roi lui écrivait:

«Je vais donc vivre tranquillement avec les Muses et occupé à réparer les malheurs de la guerre dont j'ai toujours gémi.»

D'autres, en lisant ces lignes, auraient eu le droit de sourire. D'Alembert ne l'avait pas. La nature de Frédéric était double; jamais il ne s'est montré à d'Alembert, jamais il n'a été pour lui qu'un ami spirituel, profond, généreux et dévoué.

Pendant deux mois entiers le philosophe accepta l'hospitalité simple et intime de cet ami qui ne voulait pas avoir de cour, et dont l'accueil et l'empressement cordial n'avaient rien de commun avec la politesse d'un grand seigneur ou les bontés d'un monarque.

Dînant et soupant à la table du roi, d'Alembert y parlait, quels que fussent les invités, avec aisance et liberté, sans se soucier de l'étiquette, sans la connaître même; il ne cherchait pas à l'apprendre, ayant compris, dès le premier jour, qu'il serait à mauvaise école.

D'Alembert cependant veille sur lui, jamais il ne dépasse les bornes et rassure sur ce point Mlle de Lespinasse, à laquelle il rend compte de tout.

«Ne vous flattez pas, ajouta-t-il, que j'en sois ni moins polisson à mon retour, ni de meilleure contenance à table. Il est vrai que je ne polissonne pas ici, mais, par cette raison même, j'aurai grand besoin de me dédommager, et, à l'égard du maintien de la table, c'est la chose du monde dont le roi est le moins occupé et je ne saurais m'instruire avec lui sur ce grand sujet.»

Frédéric désirait vivement garder d'Alembert; il lui proposait avec une affectueuse et discrète insistance la présidence de son Académie.

«Je ne vous répéterai pas, pour ne pas vous ennuyer, écrit d'Alembert à son amie, à quel point le roi est aimable et toutes les bontés dont il me comble. Hier, après son concert, je me promenai avec lui dans son jardin; il cueillit une rose et me la présenta en ajoutant qu'il voudrait bien me donner mieux. Vous sentez ce que cela signifie, et ce n'est pas la première fois qu'il m'a parlé sur ce ton-là.

«Il me dit hier qu'il fallait que je visse l'Académie et tout ce qui lui appartient pour en juger par moi-même.

«Je crus entendre ce que cela voulait dire et je lui dis que c'était bien aussi mon projet, mais que, mon premier objet étant de lui faire la cour, je n'irais à Berlin qu'avec lui.

«Après m'avoir parlé de mes éléments de philosophie, dont il est très content, le roi me demanda si je n'aurais pas pitié de ses pauvres orphelins, c'est ainsi qu'il appelle son Académie. Il ajouta à cette occasion les choses les plus obligeantes pour moi, auxquelles je répondis de mon mieux, mais en lui faisant connaître cependant la ferme résolution où j'étais de ne point renoncer à ma patrie ni à mes amis. Je dois à ce prince la justice de dire qu'il sent toutes mes raisons, malgré le désir qu'il aurait de les vaincre. Il est impossible de me parler de cela avec plus de bonté et de discrétion qu'il l'a fait. Il a fini la conversation par désirer que je visse son Académie et les savants qui la composent. Le 13 au matin, nous sommes partis pour venir ici, à Charlottenbourg, à une petite lieue de Berlin, et, le 14, j'ai profité du voyage pour aller voir la ville et l'Académie. J'y ai été reçu avec toutes les marques possibles d'estime et d'empressement. Le soir je retournai auprès du roi, que je trouvai se promenant tout seul (cela lui arrive souvent); il me demanda *si le coeur m'en disait.* Je lui répondis que tous ces messieurs m'avaient reçu avec toute la bonté possible et qu'assurément le coeur m'en dirait beaucoup s'il ne me disait pas avec une force invincible pour les amis que j'avais laissés en France.»

D'Alembert, toujours bon et dévoué, ne voulant rien accepter, moins encore demander pour lui-même, était heureux d'employer sa faveur à venir en aide aux autres.

«Je me porte mieux, écrit-il, parce que le roi m'a donné hier une grande satisfaction: c'est d'accorder, sur les représentations que je lui ai faites, une augmentation de pension au professeur Euler, le plus grand sujet de son Académie, et qui, se trouvant chargé de famille et assez mal aisé, voulait s'en aller à Pétersbourg.» Euler resta à Berlin, mais on le désirait à Saint-Pétersbourg, et avec raison, car jamais académicien ne fut plus fécond ni mieux inspiré dans ses incessantes productions. Vingt ans après la mort d'Euler, l'Académie de Saint-Pétersbourg devait encore chaque année le plus grand attrait de ses recueils à la publication de ses mémoires inédits.

D'Alembert—on le voit par le trait que nous venons de citer et par d'autres passages de sa correspondance—était plein de déférence, d'admiration et de dévouement pour celui qu'il appelait le grand Euler.

«Le grand Euler, dit-il en racontant sa visite à l'Académie, m'a régalé d'un mémoire de géométrie qu'il a lu à l'assemblée et qu'il a bien voulu me prêter, sur le désir que je lui ai marqué de lire ce mémoire plus à mon aise.»

Il n'y avait entre eux, cependant, ni sympathie ni amitié. Lorsque, cinq ans après, Euler, devenu presque aveugle, accepta les offres de la Russie, c'est sur le conseil de d'Alembert et les chaleureux témoignages donnés à son rare mérite que Frédéric, fort indifférent à la géométrie, insista longtemps pour le garder. Quand le départ fut résolu, d'Alembert, toujours empressé à favoriser les talents, proposa au grand Lagrange, alors très jeune, très pauvre et inconnu à Turin, la succession du grand Euler, en réglant avec Frédéric, sans rencontrer ni objections ni refus, les conditions offertes à ce grand homme qui, disait-il, vaudrait bien Euler.

«Je ne demande pas mieux, répondit Frédéric, de changer un géomètre borgne (Euler était presque aveugle) contre un géomètre qui a les deux yeux.»

Lagrange se rendit à Berlin; mais l'admiration de d'Alembert pour le jeune géomètre dont, sur plus d'un point, les découvertes devaient balancer et quelquefois effacer les siennes, faillit faire tout échouer. Dans la lettre écrite à Lagrange au nom de Frédéric, il était dit que le plus grand géomètre devait, naturellement, venir prendre la place auprès du plus grand roi. Lagrange, dont la vanité n'était pourtant pas le défaut, montra les lignes flatteuses, qui, adressées à un jeune homme jusque-là fort peu remarqué et pourvu d'un très modeste emploi, firent quelque bruit à Turin. À la cour on en fut choqué, et quand Lagrange demanda un congé, on laissa sa demande sans réponse. Il fallut pour décider le roi de Piémont, qui au fond ne se souciait nullement d'un jeune professeur à son école d'artillerie, l'intervention directe de Frédéric, accordée sans hésitation à la demande de d'Alembert.

La correspondance de d'Alembert avec son royal ami donne plus d'un exemple de sa constante et efficace sollicitude pour les hommes de mérite malheureux ou méconnus.

Un savant illustre, Lambert, avait été appelé à l'Académie de Berlin sur sa réputation qui était grande et que le temps devait accroître encore. Frédéric voulut causer avec lui: Lambert ne lui plut pas.

«Je puis assurer, écrivit-il à d'Alembert, qu'il n'a pas le sens commun.» Lambert écrivait en allemand sur la physique mathématique plus que sur la géométrie. D'Alembert, à vrai dire, ne connaissait ni ses oeuvres ni sa personne, mais il savait par Lagrange son ingénieuse sagacité. Il se hâta d'écrire à Frédéric, qui, sans attirer de nouveau près de lui le savant et peu sociable géomètre, lui fit à l'Académie une situation digne de son mérite.

Après avoir protégé la jeunesse de Lagrange, d'Alembert offrit son appui au jeune Laplace, qui, mécontent à Paris de sa position et des lenteurs de sa carrière académique, avait confié à d'Alembert son découragement et son ennui.

Laplace resta en France, heureusement pour lui et pour nous, mais l'influence de d'Alembert, à la vue de ses premiers travaux, bien inférieurs pourtant à ceux de Lagrange, était entièrement à son service. Lorsqu'après la mort de Clairaut, au moment où l'ouvrage de d'Alembert sur la destruction des jésuites faisait beaucoup de bruit et un peu de scandale, le ministère hésita quelque temps avant de lui accorder la pension devenue vacante, à laquelle il avait tous les droits, Frédéric, ne renonçant pas à ses projets, lui écrivait:

«Mon cher d'Alembert,

«J'ai été fâché d'apprendre les mortifications qu'on vient de vous faire essuyer, et l'injustice avec laquelle on vous prive d'une pension qui vous revenait de droit. Je me suis flatté que vous seriez assez sensible à cet affront pour ne pas vous exposer à en souffrir d'autres.»

Et quelque temps après:

«Je suis tenté quelquefois de faire des voeux pour que la persécution des élus redouble en certains pays. Je sais que ce voeu est en quelque sorte criminel.»

L'intention est claire: si la persécution chassait d'Alembert, des bras à Berlin lui seraient ouverts.

D'Alembert une seule fois eut recours à la bourse de Frédéric, dans des circonstances et sous des formes qui leur font honneur à tous deux.

La santé de d'Alembert alarmait ses amis. Mlle de Lespinasse écrivait à Condorcet:

«Venez à mon secours, monsieur, j'implore tout à la fois votre amitié et votre vertu. Notre ami M. d'Alembert est dans un état le plus alarmant; il dépérit d'une manière effrayante et ne mange que par raison. Mais ce qui est pis que tout cela encore, c'est qu'il est tombé dans la plus profonde mélancolie.

«Son âme ne se nourrit que de tristesse et de douleur. Il n'a plus d'activité ni de volonté pour rien; en un mot, il périt si on ne le tire par un effort de la vie qu'il mène. Ce pays-ci ne lui présente plus aucune dissipation; mon amitié, celle des autres, ne suffisent pas pour faire la diversion qui lui est nécessaire. Enfin nous nous réunissons tous pour le conjurer de changer de lieu et de faire le voyage d'Italie; il ne s'y refuse pas tout à fait, mais jamais il ne se décidera à faire ce voyage seul, moi-même je ne le voudrais pas. Il a besoin des secours et des soins de l'amitié et il faut qu'il trouve cela dans un ami tel que vous, monsieur.»

Mlle de Lespinasse ne pouvait ignorer la cause véritable de la tristesse de d'Alembert.

«Mon amitié, dit-elle, ne suffit pas à faire la diversion nécessaire.» C'est son amour qu'il aurait fallu. Elle lui avait donné le droit d'y compter, et depuis deux ans déjà, tout entière au jeune de Mora, âgé de vingt-deux ans, elle tourmentait d'Alembert, qui ne devinait rien, par ses humeurs fantasques et la dureté de ses refus.

D'Alembert, pressé par ses amis et par ses médecins, se décida à partir. Sa fortune ne lui permettait pas de faire à l'improviste une aussi grosse dépense; il écrivit à Frédéric:

«Ma santé dépérit de jour en jour. À l'impossibilité absolue où je suis de me livrer au plus léger travail se joint une insomnie affreuse et une profonde mélancolie. Tous mes amis et mes médecins me conseillent le voyage d'Italie comme le seul remède à mon malheureux état; mais mon peu de fortune m'interdit cette ressource, l'unique cependant qui me reste pour ne pas périr d'une mort lente et cruelle.

«Vous avez eu la bonté de m'offrir, il y a sept ans, les secours nécessaires pour ce voyage. J'ai recours aujourd'hui au bienfaiteur à qui je dois tant et à qui je vais devoir encore la vie. On m'assure que le voyage, pour être fait avec un peu d'aisance, exige environ 2 000 écus de France. Je prends la liberté de les demander à Votre Majesté.»

Frédéric répondit:

«Mon cher d'Alembert, je trouve votre Faculté de médecine bien aimable. Ah! si j'avais de pareils médecins! Ceux de ce pays-ci ne prescrivent à leurs patients que des gouttes et des drogues abominables.

«C'est une consolation pour moi que ces rois tant vilipendés puissent être de quelque secours aux philosophes; ils sont au moins bons à quelque chose. Adieu, mon cher.»

L'ordonnancement des six mille francs demandés accompagnait la lettre.

Le voyage fut interrompu, les deux amis s'arrêtèrent à Ferney. D'Alembert, un peu mieux portant et toujours malheureux loin de celle qui se passait si bien de lui, reprit avec Condorcet la route de Paris. Il était loin d'avoir dépensé la somme envoyée par Frédéric; il voulut rendre le reste. Frédéric lui répond:

«Ne me parlez pas de finances. On m'en rebat les oreilles ici et je dis comme Pilate: «Ce qui est écrit est écrit.»

C'est dans de telles occasions seulement que Frédéric prenait un ton de maître.

Lorsque, six ans après, d'Alembert perdit Mlle de Lespinasse, son désespoir fut connu de tous. Frédéric lui écrivit de longues lettres de condoléance et de consolation. Essayant tous les tons pour mieux réussir, il avait, dans l'une d'elles, introduit quelques plaisanteries. Le lendemain une lettre de d'Alembert laisse voir une douleur si profonde et si vraie que Frédéric, craignant de l'avoir blessé, lui envoie des excuses.

«Mon cher d'Alembert, je vous avais écrit hier et, je ne sais comment, je m'étais permis quelques badinages. Je me le suis reproché aujourd'hui en recevant votre lettre.»

Un tel trait marque sans laisser de doute ce qu'ils étaient l'un pour l'autre. Les relations de d'Alembert avec l'impératrice Catherine ne font pas moins d'honneur à son désintéressement et à la dignité de sa conduite que son intimité avec Frédéric. Le 2 septembre 1762, avant son voyage à Berlin, d'Alembert avait reçu d'Odar, conseiller de cour et bibliothécaire de l'impératrice de Russie, la lettre suivante:

«Monsieur, la nature de ma commission peut excuser auprès de vous la liberté que je prends de vous écrire sans avoir l'honneur d'être connu de vous. C'est par zèle pour le service de l'État, duquel j'ai l'avantage d'être citoyen, que j'ai pris sur moi de vous sonder, monsieur, si vous pourriez écouter les propositions de concourir à l'instruction du jeune grand-duc de Russie. Rien ne peut vous donner une preuve plus convaincante de l'admiration générale que vous vous êtes acquise, que la confiance qu'une cour si éloignée met dans votre esprit et dans votre coeur; c'est un mérite que Son Éminence M. de Pannin, gouverneur de ce jeune prince, voudrait se faire auprès de sa souveraine, que de mettre entre des mains si habiles un ouvrage qu'elle a tant à coeur. Toute l'Europe est si unanime sur l'éloge de notre gracieuse Impératrice, qu'il serait superflu de vous retracer ici la grandeur de son âme, son amour pour les sciences et pour ceux qui s'y distinguent, son humanité, sa générosité, si toutes ces vertus, en vous garantissant l'accueil le plus gracieux et les récompenses proportionnées au plaisir que vous lui ferez, ne me servaient d'arguments les plus stringents pour vous y inviter. Je sais bien que les richesses et les honneurs ne sont pas ce qui détermine un philosophe, mais l'occasion de faire un bien si important ne peut que vous tenter, d'autant plus qu'elle est accompagnée d'approcher une princesse des plus accomplies.

«Espérant, monsieur, que vous voudrez bien m'honorer d'une réponse favorable, j'ai l'honneur d'être aussi pénétré d'admiration pour vos talents, que de la considération la plus distinguée, monsieur, de votre très humble et très obéissant serviteur.»

D'Alembert refusa les offres de Catherine et pour les mêmes raisons que celles de Frédéric. Il ne voulait quitter ni Paris ni surtout Mlle de Lespinasse.

«Monsieur, il faudrait être plus que philosophe ou plutôt ne l'être pas assez pour ne pas sentir tout le prix d'une place aussi importante qu'honorable, qui, étant remplie comme elle mérite de l'être, peut contribuer au bonheur d'une grande nation. Je suis donc infiniment flatté, comme je le dois, de la proposition que vous voulez bien me faire au nom de S. E. M. de Pannin, à qui je vous prie de faire agréer ma reconnaissance et mon respect. Ce que vous me faites l'honneur de me dire des qualités éminentes de votre auguste Impératrice, doit rendre précieux à tout homme qui pense l'avantage de l'approcher et le bonheur de mériter sa confiance dans une éducation qui lui est si chère. Mais, monsieur, plus cette confiance m'honorerait par les devoirs sacrés qu'elle impose, plus elle m'effraye par l'incapacité que je me sens d'y répondre. Ne croyez pas que je veuille me parer d'une fausse modestie; si j'avais l'honneur d'être connu de vous, vous sauriez avec quelle franchise j'exprime ici ce que je suis et encore plus à quel point je dis la vérité en cette occasion. Quelques connaissances philosophiques et littéraires acquises dans la retraite, peu d'usage des hommes et encore moins des cours, peu de lumières sur les matières épineuses du gouvernement dans lesquelles un prince doit être instruit, tout cela, monseigneur, est bien loin des talents nécessaires pour remplir dignement la place que l'on me fait l'honneur de me proposer. Il y a trente ans que je travaille uniquement et sans relâche, si je puis parler de la sorte, à ma propre éducation, et il s'en faut bien que je sois content de mon ouvrage. Jugez du peu de succès que je devrais me promettre d'une éducation infiniment plus importante, plus difficile et plus étendue.

«Je n'ajouterai point à ces raisons, monsieur, les lieux communs ordinaires sur l'amour de la patrie. Je n'ai ni assez à me louer de la mienne pour qu'elle soit en droit d'exiger de moi de grands sacrifices, ni en même temps assez à m'en plaindre pour ne pas désirer lui être utile, si elle m'en jugeait capable; j'y ai, en commun avec tous les gens de lettres qui ont le bonheur ou le malheur de se faire connaître par leur travail, les agréments et les dégoûts attachés à la réputation; ma fortune y est très médiocre, mais suffisante à mes désirs; ma santé naturellement faible, accoutumée à un climat doux et tempéré, ne pourrait en supporter un plus rude; enfin, monsieur, c'est une des maximes de ma philosophie de ne point changer de situation quand on n'est pas tout à fait mal; mais ce qui éloigne de moi toute envie de me transplanter, c'est mon attachement pour un petit nombre d'amis à qui je suis cher, qui ne me le sont pas moins et dont la société fait ma consolation et mon bonheur. Il n'y a, monsieur, ni honneurs, ni richesses qui puissent tenir lieu d'un bien si précieux.

«Un autre motif, non moins respectable pour moi, ne me permet pas, monsieur, d'accepter les offres si flatteuses de la cour de Russie. Il y a plus de dix ans que le roi de Prusse me fit faire les propositions les plus avantageuses; il les a réitérées sans succès à plusieurs reprises, et mon silence ne l'a pas empêché de mettre le comble à ses bontés pour moi, par une pension dont je jouis depuis huit ans, et que la guerre n'a point suspendue. Il a été mon premier bienfaiteur; il a été longtemps le seul; je jouis de ses bienfaits sans avoir la consolation de lui être utile et je me croirais indigne de l'opinion favorable que les étrangers veulent bien avoir de moi, si j'étais capable de faire pour quelque prince que ce fût ce que je n'ai pas eu le courage de faire pour lui.»

Catherine répondit elle-même:

«Monsieur d'Alembert, je viens de lire la réponse que vous avez écrite au sieur d'Odar, par laquelle vous refusez de vous transplanter pour contribuer à l'éducation de mon fils. Philosophe comme vous êtes, je comprends qu'il ne vous coûte rien de mépriser ce qu'on appelle grandeurs et honneurs dans ce monde; à vos yeux tout cela est peu de chose, et aisément je me range de votre avis. A envisager les choses sur ce pied, je regarderais comme très petite la conduite de la reine Christine qu'on a tant loué *(sic)* et souvent blâmé *(sic)* à plus juste titre; mais être né ou appelé pour contribuer au bonheur et même à l'instruction d'un peuple entier et y renoncer, me semble, s'est *(sic)* refuser de faire le bien que vous avez à coeur. Votre philosophie est fondée sur l'humanité; permettez-moi de vous dire que de ne point ce *(sic)* prêter à la servir tant qu'on le peut, c'est manquer son but. Je vous sais trop honnête homme pour attribuer vos refus à la vanité; je sais que la cause n'en est que l'amour du repos pour cultiver les lettres et l'amitié, mais à quoi tient-il? Venez avec tous vos amis, je vous promets et à eux aussi tous les agréments et aisances qui peuvent dépendre de moi et peut-être vous trouverez plus de liberté et de repos que chez vous; vous ne vous prêtez point aux instances du roi de Prusse et à la reconnaissance que vous lui avez; mais ce prince n'a pas de fils. J'avoue que l'éducation de ce fils me tient si fort à coeur et vous m'êtes si nécessaire que peut-être je vous presse trop; pardonnez mon indiscrétion en faveur de la cause et soyez assuré que c'est l'estime qui m'a rendue si intéressée.

«*P.-S.* Dans toute cette lettre je n'ai employée *(sic)* que les sentiments que j'ai trouvés dans vos ouvrages. Vous ne voudriez pas vous contredire.»

Il faut citer encore la réponse de d'Alembert:

«Madame, la lettre dont Votre Majesté Impériale vient de m'honorer me pénètre de la plus vive reconnaissance et en même temps de la plus vive douleur de ne pouvoir répondre à ses bontés. J'ose néanmoins, madame, espérer de ces bontés même et j'ajoute de l'équité de Votre Majesté Impériale, de l'élévation et de la sensibilité de son âme, qu'elle voudra bien rendre justice aux motifs qui ne me permettent pas d'accepter ses offres.

«Si la philosophie est insensible aux honneurs, elle ne saurait l'être au précieux avantage d'approcher une princesse éclairée, courageuse et philosophe (phénomène si rare sur le trône), de mériter sa confiance dans la partie la plus importante de sa glorieuse administration et de concourir à ses vues respectables pour le bonheur d'un grand peuple. Mais, madame (et je supplie Votre Majesté Impériale d'être persuadée que je la respecte trop pour ne pas lui parler avec toute la franchise philosophique), je ne suis nullement en état par le genre d'études que j'ai faites, de donner à un jeune prince destiné au gouvernement d'un grand empire les connaissances nécessaires pour régner; je ne pourrais tout au plus que le former par les faibles leçons aux vertus dont Votre Majesté Impériale lui donne bien mieux les exemples. Ma santé d'ailleurs ne pourrait résister au climat rigoureux de la Russie, et me rendrait incapable du grand ouvrage auquel Sa Majesté Impériale me fait l'honneur de m'appeler. Enfin, madame, le petit nombre d'amis que j'ai le bonheur d'avoir, aussi obscurs et aussi sédentaires que moi, ne pourraient consentir à notre séparation ni se résoudre à abandonner avec moi une patrie dont ils ne sont pas mieux traités.

«Pourquoi faut-il, madame, que la distance immense où je suis des États que Votre Majesté Impériale gouverne avec tant de sagesse et de gloire, ne me permette pas d'aller moi-même la supplier d'approuver ces raisons, mettre à ses pieds (au nom de tous les gens de lettres et de tous les sages de l'Europe) mon admiration, ma reconnaissance et mon profond respect, et l'assurer surtout que ce n'est point un principe de vanité raffinée qui me détourne de ce qu'elle désire; la vanité du philosophe peut refuser tout à la supériorité du rang, mais elle entend trop bien ses intérêts pour ne pas se dévouer à la supériorité des lumières, en s'attachant, comme elle le souhaiterait, à Votre Majesté Impériale, si les motifs les plus puissants et les plus respectables ne s'y opposaient. Je conserverai précieusement toute ma vie la glorieuse marque que Votre Majesté Impériale vient de me donner de ses bontés et de son estime, mais l'honneur qu'elle me fait est si grand, il suffit tellement à mon bonheur que je ne songerai pas même à m'en glorifier.»

Soltikof, ambassadeur de Russie à Paris, fut chargé d'offrir à d'Alembert une pension de cent mille francs sans ébranler la résolution du philosophe.

«Votre Majesté Impériale, depuis la lettre qu'elle m'a fait l'honneur de m'écrire, vient encore de mettre le comble à ses bontés en me faisant offrir par son ambassadeur la fortune la plus immense et les distinctions les plus flatteuses. Mais, madame, si quelque chose avait pu me déterminer à quitter la France et mes amis pour me charger d'un travail supérieur à mes forces, la lettre de Sa Majesté Impériale eût été pour moi le plus puissant de tous les motifs: ceux de l'intérêt et de la vanité sont bien faibles en comparaison.»

Le désintéressement de d'Alembert fut admiré à Saint-Pétersbourg comme à Paris; Catherine eut comme Frédéric l'ambition de l'avoir pour ami, et sa correspondance, moins familière et moins intime que celle de Frédéric, ne fut plus interrompue. Catherine daigne lui parler de ses principes de gouvernement et de ses décrets. Lorsqu'elle décide la réunion des biens du clergé au domaine de la couronne, bien assurée de son approbation, elle lui écrit en ces termes:

«Cher monsieur, on a trop de respect pour les choses spirituelles pour les mêler au temporel, et celui-ci se prête à soulager l'autre des vanités qui lui sont étrangères. Chacun reste dans l'étendue de sa domination, sans qu'il s'avise seulement d'empiéter sur ce qui n'est pas de sa compétence.»

Catherine ne veut dans son empire ni persécutions ni discussions religieuses; les autocrates ne doutent de rien. Elle écrit à d'Alembert:

«Si les hérétiques n'étaient point soufferts, les fidèles désespéreraient de les ramener dans le giron de l'Eglise. Les articles de foi sont inébranlables, il n'y a pas de quoi discuter. Chacun est libre de vivre hérétique, mais il faut se taire.»

Les prévenances et les bontés de Catherine pour d'Alembert n'étaient pas, comme celles de Frédéric, exemptes de calcul. Elle voulait bien se laisser louer d'être grande et simple, mais sans abandonner le droit de commander et d'imposer les limites.

D'Alembert, ne comprenant pas ou ne voulant pas comprendre à quelle distance Catherine voulait rester de Frédéric, accepta la mission de lui présenter un mémoire en faveur de quelques prisonniers de guerre envoyés en Sibérie. Ces jeunes gens, recommandables par leur courage, en avaient fait très mauvais usage; après être venus, en leur propre nom, porter dans ses États l'insurrection et la guerre, ils avaient très indiscrètement, s'il faut en croire Voltaire, dit sur elle des choses horribles.

D'Alembert, en invoquant sa clémence, lui montrait de quel avantage serait pour elle la reconnaissance des philosophes. «La république des lettres, dont la philosophie est aujourd'hui le plus digne organe et dont elle tient pour ainsi dire la plume, ne laissera ignorer ni à la France ni à l'Europe que cette même impératrice qui, du sud au nord, a fait trembler Constantinople, s'est montrée plus grande encore après la victoire que dans la victoire même; qu'elle a su non seulement estimer, mais récompenser le courage imprudent et malheureux qui s'est trompé en osant la combattre; que si quelques Français ont pris les armes contre elle, elle a voulu par son indulgence à leur égard témoigner à leur nation qu'elle ne la regarde point comme ennemie, et surtout qu'elle se souvient avec bonté de l'enthousiasme si juste que ses talents, ses vertus et ses lumières ont inspiré à la partie la plus éclairée de la nation.» Cette maladroite amplification de collège avait peu de chances de succès. Catherine répondit brièvement et sèchement:

«J'ai reçu la belle lettre que vous avez jugé à propos de m'écrire, au sujet de vos compatriotes prisonniers de guerre dans mes États, et que vous réclamez au nom de la philosophie et des philosophes. On vous les a représentés enchaînés, gémissant et manquant de tout au fond de la Sibérie. Eh bien! monsieur, rassurez-vous et vos amis aussi, et apprenez que rien de tout cela n'existe. Les prisonniers de votre nation, faits dans différents endroits de la Pologne, où ils fomentaient et entretenaient les dissensions, sont à Kiovie (Kiev), où ils jouissent de leur propre aveu d'un état supportable. Ils sont en pleine correspondance avec M. Durand, envoyé du roi de France à ma cour, et avec leurs parents. J'ai vu une lettre d'un M. Galibert, qui est parmi eux, par laquelle il se loue des bons procédés du gouvernement général de Kiovie, etc. Voilà pour le moment tout ce que je peux vous dire d'eux. Accoutumée à voir répandre par le monde les traits de la plus noire calomnie, je n'ai point été étonnée de celle-ci; une même source peut les avoir produites, aussi ce n'est pas de cela que je m'embarrasse, j'en suis bien consolée par tout ce que vous me dites de flatteur de la part des gens éclairés de votre patrie, à la tête desquels vous vous trouvez.

«Soyez assuré, monsieur, de la continuation de tous les sentiments que vous me connaissez.»

D'Alembert insista, parlant de Phocion, cet Athénien vertueux, estimé et chéri d'Alexandre.

Catherine lui répondit de manière à terminer la correspondance:

«Monsieur d'Alembert, j'ai reçu une seconde lettre écrite de votre main qui contenait mot pour mot la même chose que la première.... Mais, monsieur, permettez-moi de vous témoigner mon étonnement de vous voir un aussi grand empressement pour délivrer d'une captivité qui n'en a que le nom des boutefeux qui soufflaient la discorde partout où ils se présentaient.»

D'Alembert n'écrivit plus à Catherine. En 1782, cependant, le fils de l'impératrice, celui qui fut Paul Ier, venant visiter Paris, voulut se rendre chez d'Alembert, et se montra pour lui plein de respect, faisant allusion en le quittant au désir que sa mère avait eu de lui donner pour précepteur l'illustre Français. Il lui dit en le quittant:

«Vous devez comprendre, monsieur, tout le regret que j'ai de ne pas vous avoir connu plus tôt.»

Si d'Alembert avait tenté de s'immiscer avec Frédéric dans les affaires du gouvernement, il n'aurait pas eu sans doute plus de succès qu'avec Catherine, mais on l'aurait éconduit moins sèchement.

La longue correspondance de Frédéric avec d'Alembert roule sur la philosophie, sur l'amour des lettres et la haine du fanatisme, étendue, sans qu'ils s'en cachent l'un à l'autre, à la religion qui l'inspire. Mais Frédéric, plein de déférence pour le philosophe qu'il admire et qu'il aime, s'il lui permet d'oublier qu'il est roi, entend bien ne jamais l'oublier lui-même.

CHAPITRE VII

D'ALEMBERT ET MADEMOISELLE DE LESPINASSE

D'Alembert dans son enfance n'avait appris ni les belles manières ni l'usage du monde. Sa renommée imposait l'indulgence; rien de lui ne pouvait scandaliser; il riait de tout sans jamais se contraindre, laissant un libre cours à sa verve satirique, déclarant sans colère ses inimitiés et ses griefs. Il semblait toujours, avec des formes libres et gaies, rappeler aux plus hauts personnages qu'en acceptant leurs invitations il trouvait bon qu'on lui en sût gré.

Avec les femmes il était timide, très tendre au fond du coeur, mais fier, facile à décourager et, pour des raisons que l'on ignore, l'ayant été presque toujours quand il avait voulu devenir plus qu'un ami.

Mme du Deffant et Mme Geoffrin, prôneuses et introductrices de d'Alembert dans la société élégante, avaient l'une et l'autre vingt ans de plus que lui. Ces deux amitiés dans leurs meilleurs jours ne pouvaient suffire à son coeur.

Lorsque d'Alembert mourut, Grimm dans sa correspondance raconta une anecdote invraisemblable qu'il faut croire vraie, puisque d'Alembert, qui en est le héros, l'a racontée lui-même, dans une lettre écrite à Condorcet sur Mme Geoffrin.

«Un jeune homme, à qui Mme Geoffrin s'intéressait, jusqu'alors uniquement livré à l'étude, fut saisi et frappé comme subitement d'une passion malheureuse qui lui rendait l'étude et la vie même insupportables; elle vint à bout de le guérir. Quelque temps après, elle s'aperçut que ce jeune homme lui parlait avec intérêt d'une femme aimable qu'il voyait depuis peu de jours. Mme Geoffrin, qui connaissait cette femme, l'alla trouver: «Je viens, lui dit-elle, «vous demander une grâce; ne témoignez pas à *** «trop d'amitié ni d'envie de le voir; il deviendrait «amoureux de vous; il serait malheureux; je le serais «de le voir souffrir et vous souffririez vous-même «de lui avoir fait tant de mal.» Cette femme, vraiment honnête, lui promit ce qu'elle demandait, et lui tint parole.»

La bonne Mme Geoffrin savait ce qu'elle faisait; elle connaissait d'Alembert mieux que nous, elle connaissait aussi la dame; elle leur a sans doute rendu service à tous deux. D'Alembert lui en a su gré! c'est le trait le plus singulier de cette singulière anecdote. Quoi qu'il en soit, dans cette société et dans ce siècle où les liaisons avaient peu de mystère, lorsque autour de d'Alembert ses amis offraient leurs coeurs à de très honnêtes dames qui pour l'accepter ne se cachaient guère, on ne lui a connu qu'une seule passion qui a fait le charme puis le tourment de sa vie.

Mlle de Lespinasse a été mal connue de ses contemporains. Sous la grâce de son esprit qu'ils admiraient, sous la distinction de ses manières, la régularité de sa vie et la dignité de sa conduite, elle a caché les faiblesses de son coeur. Elle est célèbre aujourd'hui, grâce à ses lettres qui nous sont restées, par l'ardeur de ses passions, par l'extase de ses ravissements amoureux, par la promptitude de ses infidélités.

Sa jeunesse fut fort triste.

Née à Lyon en 1732, elle avait quinze ans de moins que d'Alembert. Sa mère, séparée de son mari, devait cacher sa naissance. On la baptisa sous le nom de Julie de Lespinasse, fille illégitime de Claude Lespinasse, marchand, et de Julie Novaire. Elle fut élevée chez Claude Lespinasse; ce très honnête homme la prit en amitié. Sa mère, comtesse d'Albon, devenue veuve, voulut prendre chez elle la jeune Julie, âgée alors de quinze ans. Ses autres enfants conçurent pour cette soeur qu'ils devinaient une haine violente.

Julie ne rappelait jamais ces souvenirs, qu'elle résumait par un seul mot: des atrocités. La comtesse d'Albon quelques heures avant sa mort révéla à Julie le secret de sa naissance, en lui remettant dans une cassette des papiers importants pour elle et la clef d'un secrétaire où elle devait trouver l'héritage qu'elle lui destinait.

Julie porta la clef à son frère. «Vous faites bien, lui dit-il froidement. Rien ici ne peut vous appartenir»; et dès le lendemain, après lui avoir dérobé la cassette, sans songer à son sort ni à son avenir, il lui envoya par un laquais l'ordre de quitter le château. Sans se plaindre, sans rien réclamer et certaine d'un accueil empressé, elle reprit sa place au foyer de Claude Lespinasse. Peu de temps après, elle entra comme gouvernante chez une parente de sa mère, belle-soeur de Mme du Deffant. Mme du Deffant vint passer quelques mois chez son frère; elle remarqua cette jeune fille plutôt laide que jolie, intelligente et fière, mûrie par le malheur et sachant opposer à des humiliations continuelles une inaltérable patience et une dignité impassible. Mme du Deffant, émue et charmée, lui proposa près d'elle la situation de demoiselle de compagnie, en y mettant la condition bien inutile de ne jamais inquiéter par la revendication de ses droits une famille dont elle était l'amie.

Tout alla bien pendant plusieurs années. Jeune, spirituelle, gracieuse sans être belle, Mlle de Lespinasse faisait honneur à sa protectrice, qui, fière de ses succès, aimait à la produire et à se parer d'elle. Dans cette maison où l'esprit était roi, la charmante causeuse, traitée en princesse, devait avoir le désir de régner. Le salon de Mme du Deffant devenait celui de Mlle de Lespinasse. La maîtresse de la maison se levait tard; avant cinq heures sa porte était fermée. Mlle de Lespinasse ouvrait la sienne, oubliant que c'était la même. Ses admirateurs venaient raconter les nouvelles et discuter les questions du jour. Quelquefois même, des visiteurs d'importance, satisfaits d'avoir vu Mlle de Lespinasse, sans attendre l'heure fixée par Mme du Deffant, allaient porter dans d'autres salons les anecdotes et les bons mots recueillis chez elle en son absence. Quoi qu'aient pu dire les amis trop prévenus et quel qu'ait été l'emportement trop vif de Mme du Deffant, il y avait indélicatesse et trahison. Mlle de Lespinasse, loin de se montrer repentante, le prit de très haut et, rompant sans retour avec sa bienfaitrice qui la chassait, accepta l'aide de ses amis. Chacun s'inscrivit suivant ses moyens. Mme Geoffrin fit don de 3 000 livres de rente viagère; Mme de Luxembourg se chargea du mobilier, et les admirateurs de Mlle de Lespinasse lui assurèrent avec une modeste aisance le moyen de les recevoir encore.

La colère de Mme du Deffant fut terrible. Il fallut choisir entre les deux salons: d'Alembert n'hésita pas. Blâmant avec colère la vieille amie, qu'il ne revit plus, il prit parti pour Mlle de Lespinasse.

Mme du Deffant l'aimait quoi qu'il pût faire ou dire. Quinze ans après, la mort de Mlle de Lespinasse ne lui arracha qu'une seule exclamation: «Si elle était morte quinze ans plus tôt, j'aurais conservé d'Alembert».

On a beaucoup écrit et beaucoup rapproché de dates à l'occasion de d'Alembert et de Mlle de Lespinasse. Le récit accepté ne paraît pas exact.

Moins d'une année après avoir quitté Mme du Deffant, Mlle de Lespinasse partageait avec d'Alembert son appartement de la rue Bellechasse. D'Alembert avait dû quitter la rue Michel-Lecomte par ordre de son médecin, le même sans doute qui, douze ans plus tard, ordonnait à M. de Mora, au nom de sa santé menacée à Madrid par l'air natal, de se rapprocher de la rue Bellechasse.

En réalité, Mlle de Lespinasse, quand elle quitta Mme du Deffant, était depuis plusieurs années la maîtresse de d'Alembert. Le géomètre savait compter. Lorsqu'en 1776 il perdit son amie, son désespoir s'exhala dans des pages qu'il n'a pas détruites. Depuis huit ans au moins—elle lui en a légué la preuve—il n'était plus le premier objet de son coeur. «Qui peut me répondre, s'écrie-t-il après cette affligeante lecture, que pendant les huit ou dix autres années que je me suis cru tant aimé, vous n'avez pas trompé ma tendresse!»

Il est impossible d'en douter. D'Alembert, au moment où il repoussait sans hésitation les offres brillantes de Frédéric, avait acquis déjà le droit de considérer comme une trahison la tendresse de Julie pour un autre.

Une lettre à Voltaire datée de 1760 nous apprend que d'Alembert et Mme du Deffant s'étaient brouillés déjà. Il écrivait à Voltaire seize ans avant la mort de son amie, au début par conséquent de leur intimité:

«A propos, vraiment, j'oubliais de vous dire que je suis raccommodé vaille que vaille avec Mme du Deffant.»

Le seul personnage important pour d'Alembert—nous le savons aujourd'hui—était alors Mlle de Lespinasse; elle demeurait chez Mme du Deffant; quand d'Alembert qui s'était éloigné y retourne, c'est elle évidemment qui le ramène.

Lors donc que Mme du Deffant s'écria: «Sans elle, j'aurais conservé d'Alembert», il y a lieu de croire qu'elle se faisait illusion.

Mme du Deffant n'était aveugle que des yeux; elle avait deviné la passion de d'Alembert, sans doute aussi elle la savait partagée; ces faiblesses, pour elle, étaient choses toutes simples. C'est par elle que Voltaire en fut instruit; une de ses lettres y fait allusion. D'Alembert, sans rien avouer, lui répond:

«Si vous êtes amoureux, dites-vous, restez à Paris. A propos de quoi me supposez-vous l'amour en tête? Je n'ai pas ce bonheur ou ce malheur-là. J'imagine bien qui peut vous avoir écrit cette impertinence et à propos de quoi; mais il vaut mieux qu'on vous écrive que je suis amoureux que si l'on vous écrivait des faussetés plus atroces dont on est bien capable. On n'a voulu que me rendre ridicule.»

L'influence de Mlle de Lespinasse sur d'Alembert à partir de leur réunion a été de tous les instants. Il aimait à l'associer à ses travaux; dérobant à peine quelques heures pour la géométrie, son ancienne maîtresse, il ne se plaisait plus qu'à des oeuvres légères, auxquelles son amie prenait part. La main de Mlle de Lespinasse dans ses manuscrits—on pourrait dire dans leurs manuscrits—est sans cesse mêlés à la sienne; plus d'une page signée par d'Alembert aurait pu l'être par Mlle de Lespinasse: toutes sont inspirées par elle. Beaucoup de lettres de Mlle de Lespinasse sont écrites de la main de d'Alembert. Leur vie tranquille et libre d'ennuis semblait réunir tous les éléments de bonheur. Des amis éminents ou illustres, des savants, des lettrés, des beaux-esprits et des grands seigneurs admiraient chaque jour Mlle de Lespinasse. Condorcet, Turgot, Marmontel, Suard, le comte d'Anlezy, M. de Saint-Chamans, Morellet, Chasteluz lui adressaient, quand ils ne pouvaient la voir, des lettres pleines d'affection et de respect. Voltaire trouvait ses billets charmants. Elle poussait jusqu'au génie, disait-on, le talent de diriger une réunion, en y ménageant à chacun son rôle. Son esprit, plus remarquable par le goût que parla vivacité, s'enivrait avec délices de celui qu'elle inspirait aux autres; elle-même, sur toute chose, cherchait le mot juste; on lui reprochait de le trouver trop bien; elle était un peu pédante. Parmi tant de témoignages unanimes sur la grâce et l'esprit de sa conversation, rapportons une seule anecdote, empruntée aux mémoires de Morellet, dans laquelle cet amour du beau langage est fort bien mis en relief.

«Mlle de Lespinasse aimait avec passion les hommes d'esprit, et ne négligeait rien pour les connaître et les attirer dans sa société. Elle avait désiré vivement voir M. de Buffon. Mme Geoffrin, s'étant chargée de lui procurer ce bonheur, avait engagé Buffon à venir passer la soirée chez elle. Voilà Mlle de Lespinasse aux anges, se promettant bien d'observer cet homme célèbre, et de ne rien perdre de ce qui sortirait de sa bouche.

«La conversation ayant commencé de la part de Mlle de Lespinasse par des compliments flatteurs et fins, comme elle savait les faire, on vient à parler de l'art d'écrire, et quelqu'un remarque avec éloge combien M. de Buffon avait su réunir la clarté à l'élévation du style, réunion difficile et rare. *«Oh! diable!»* dit M. de Buffon, la tête haute, les yeux à demi fermés et avec un air moitié niais, moitié inspiré, *«oh! diable, quand il est question de clarifier «son style, c'est une autre paire de manches.»*

«A ce propos, à cette comparaison des rues, voilà Mlle de Lespinasse qui se trouble; sa physionomie s'altère, elle se renverse sur son fauteuil, répétant entre ses dents: *une autre paire de manches! clarifier son style!* Elle n'en revint pas de toute la soirée.»

Dans les lettres de Mlle de Lespinasse on a admiré l'éloquence, on pourrait dire, comme Phèdre, les fureurs de l'amour. En y étudiant, non sans indiscrétion, l'histoire de ses violentes passions, on a rapproché les dates, interprété les mots—on sait qu'elle employait toujours le mot juste—et raconté avec indulgence, mais déterminé avec précision, le jour, l'heure et l'occasion de ses faiblesses.

Le père Quesnel l'aurait absoute. Pour résister, la force lui manquait non moins que la grâce pour le vouloir. Elle aurait pu s'écrier comme une amie de Mme de Lambert: «Je me sens garrottée, entraînée, ce sont les fautes de l'amour, ce ne sont plus les miennes». Après avoir offert son coeur à d'Alembert et s'être donnée à lui jusqu'à être effrayée de son bonheur, envahie par une passion irrésistible, elle a aimé M. de Mora sans mesure et plus que sa vie. Subjuguée plus tard par M. de Guibert, qui semblait lui faire une grâce, elle a déchiré tous les voiles de son âme dans un long cri de douleur et d'amour. Les remords exaltaient sa tendresse pour M. de Mora, sans lui donner la force d'avouer à d'Alembert que son coeur battait pour un autre.

Elle est morte désespérée, en associant avec tristesse et confusion dans ses souvenirs et dans ses regrets sa tendresse exaltée pour M. de Mora qui venait de mourir à Bordeaux, son amour pour M. de Guibert qui s'était marié, et sa vive affection pour d'Alembert dont elle brisait le coeur.

Il faut de l'éloquence pour expliquer tout cela. Mlle de Lespinasse en avait beaucoup; elle n'a pas réussi à le faire aimer.

M. de Mora, fils de l'ambassadeur d'Espagne, était très beau, son coeur était sensible, et sa fortune immense lui permettait d'être généreux et magnifique; mais ce n'est pas par là que Mlle de Lespinasse était accessible. Ce coeur incapable de lutter et avide d'émotions, dans lequel d'Alembert avait pénétré pas à pas, s'ouvrit tout entier aux premiers regards du jeune Espagnol. Elle ne put ni ne voulut lui cacher son trouble. M. de Mora ne résista pas. Pendant une de ses absences, d'Alembert vit arriver en dix jours vingt-deux lettres adressées à Mlle de Lespinasse. Il ne devina rien.

M. de Mora retourna en Espagne. Julie lui écrivait chaque jour, attendait les réponses avec une impatience fébrile et, les jours de courrier, envoyait à la poste le bon d'Alembert pour les recevoir quelques heures plus tôt. Le chagrin la rendait dure et blessante. Sa tendresse pour d'Alembert se changeait en éloignement et en aversion. Il faisait tout pour la distraire et combattre son humeur inégale et chagrine. Il la conduisit un jour à un dîner littéraire; elle y rencontra M. de Guibert, dont les succès ou, pour parler mieux, les promesses attiraient alors tous les regards. Ses admirateurs sur ses premiers essais en divers genres prédisaient en lui, tout ensemble, le successeur de Bossuet, de Corneille et de Condé: il ne remplaça que M. de Mora dans le coeur de Mlle de Lespinasse.

Le lendemain de sa première rencontre, Mlle de Lespinasse déjà vaincue écrivait à Condorcet: «J'ai fait connaissance avec M. de Guibert, il me plaît beaucoup; son âme se peint dans tout ce qu'il dit, il a de la force, de l'élévation, il ne ressemble à personne».

Quelques jours après, dans une autre lettre à Condorcet:

«Je voudrais que vous lussiez le discours préliminaire de l'ouvrage de M. de Guibert, je suis sûre qu'il vous ferait grand plaisir.»

Mlle de Lespinasse ajoutait: «J'ai vu M. de Guibert chez moi, il continue à me plaire extrêmement».

Elle n'en disait rien à M. de Mora, en parlait à d'Alembert beaucoup moins qu'à Condorcet et beaucoup plus—il est impossible d'en douter—à M. de Guibert lui-même, qui ne s'en souciait guère. Pour Mlle de Lespinasse, toutes les passions étaient soeurs: en s'offrant à M. de Guibert, elle aimait M. de Mora avec une tendresse plus exaltée encore.

D'Alembert ici devrait nous occuper seul: il était impossible cependant de ne pas raconter en parlant de lui ces trahisons qui brisèrent sa vie.

D'Alembert sans connaître toute la vérité ne pouvait l'ignorer complètement. La dédicace de son portrait offert à Mlle de Lespinasse se terminait par ces deux vers, à la fois tristes et doux:

Et dites quelquefois en voyant cette image,
De tous ceux que j'aimai qui m'aima comme lui?

Si elle était changée pour lui, d'Alembert ne le fut jamais pour elle. Moins savant que son amie dans les choses du coeur, il avait joui de son bonheur sans en être effrayé. Il croyait son amour endormi et en attendait le réveil; c'est par les empressements de la tendresse la plus dévouée et de la plus affectueuse bonté qu'il combattait, sans jamais se plaindre, l'indifférence et les rebuts de cette âme troublée et inquiète, jusqu'au jour où, épuisée d'amour et de souffrance, impatiente surtout de tant d'indignités, elle hâta volontairement sa fin, et mourut dans ses bras en murmurant le nom de M. de Guibert.

On n'a pas d'élégie plus touchante que le cri de douleur adressé par d'Alembert aux mânes de Mlle de Lespinasse et trouvé plus tard dans ses papiers: «O vous qui ne pouvez plus m'entendre, vous que j'ai si tendrement et si constamment aimée, vous dont j'ai cru être aimé quelques moments, vous que j'ai préférée à tout, vous qui m'eussiez tenu lieu de tout si vous l'aviez voulu....

«Par quel motif, que je ne puis ni comprendre ni soupçonner, ce sentiment si doux pour moi, que vous éprouviez peut-être encore dans le dernier moment où vous m'en avez assuré, s'est-il changé tout à coup en éloignement et en aversion?...

«Que ne vous plaigniez-vous à moi, si vous aviez à vous plaindre!... Ou plutôt, ma chère Julie,—car je ne pouvais avoir de torts envers vous,—aviez-vous avec moi quelque tort que j'ignorais et que j'aurais eu tant de douceur à vous pardonner, si je l'avais su?»

La profonde blessure de d'Alembert déchira l'enveloppe de froideur et d'insensibilité affectée qui cachait aux yeux du plus grand nombre ses trésors de dévouement et de bonté. Le monde philosophique et lettré vit que ce grand savant qui savait si bien rire savait pleurer aussi. Chacun l'entoura de sympathie et d'affection. Frédéric et Voltaire surtout, sans lutter avec sa douleur, firent pour l'adoucir de constants et affectueux efforts. Mais la vie de d'Alembert resta décolorée et sans but: l'hiver était venu pour son âme. La géométrie, si longtemps négligée, lui rendait seule l'existence tolérable. Le respect et l'admiration qui l'entourèrent jusqu'à son dernier jour pouvaient le distraire, mais non le consoler de vieillir sans famille, sans espérance et sans tenir à rien ici-bas. Une maladie douloureuse vint bientôt briser sa santé constamment chancelante, et il mourut le 29 octobre 1783, à l'âge de soixante-six ans, en trouvant que la vie ne vaut pas un regret.

Honnête homme et homme de bien, d'Alembert fut aimé et estimé de tous ceux qui l'ont connu. Ses contemporains ont exalté à l'envi sa bonté et sa générosité, toujours prête, sans ostentation de vertu. Admiré et vanté jeune encore par les juges les plus illustres, il n'excita l'envie de personne. Il s'exerça dans les genres les plus divers, et, sans avoir produit dans tous d'immortels chefs-d'oeuvre, il fut placé par l'opinion au premier rang des savants, des littérateurs et des philosophes. Sans fortune, sans dignités, malgré le malheur de sa naissance et l'humble simplicité de sa vie, il fut grand entre ses contemporains par l'étendue de son influence. L'élévation de son caractère égala celle de son esprit. Dans son commerce familier et intime avec les plus grands personnages de son siècle, il sut conserver sans froideur toute la dignité de ses manières et obtenir sans l'exiger autant de déférence au moins qu'il en accordait; mais, quoique sensible à la gloire et aux satisfactions de l'amour-propre, il ne cessa jamais, au milieu de ses succès si nombreux et si constants, de chercher en vain le bonheur, qu'il n'entrevit qu'un instant, celui d'une affection profonde, dévouée, exclusive et, pour tout dire enfin, égale à celle dont il se sentait capable.

CHAPITRE VIII

DEUX PORTRAITS

PORTRAIT DE D'ALEMBERT FAIT PAR LUI-MÊME, en 1760.

M. d'Alembert n'a rien dans sa figure de remarquable, soit en bien, soit en mal; on prétend, car il ne peut en juger lui-même, que sa physionomie est pour l'ordinaire ironique et maligne; à la vérité, il est très frappé du ridicule, et peut-être a quelque talent pour le saisir: ainsi il ne serait pas étonnant que l'impression qu'il en reçoit se peignît souvent sur son visage.

Sa conversation est très inégale, tantôt sérieuse, tantôt gaie, suivant l'état où son âme se trouve, assez souvent décousue, mais jamais fatigante ni pédantesque. On ne se douterait point, en le voyant, qu'il a donné à des études profondes la plus grande partie de sa vie; la dose d'esprit qu'il met dans la conversation n'est ni assez forte ni assez abondante pour effrayer ou choquer l'amour-propre de personne; et ce qui est heureux pour lui, c'est qu'il ne lui vient pas plus d'esprit qu'il n'en montre, car il le laisserait voir, ne fût-ce que par l'impuissance absolue où il est de se contraindre sur quoi que ce puisse être. Tout le monde est donc à son aise avec lui sans qu'il y tâche; et on s'aperçoit bien qu'il n'y tâche pas; ce qui fait qu'on lui en sait bon gré. Il est d'ailleurs d'une gaieté qui va quelquefois jusqu'à l'enfance; et le contraste de cette gaieté d'écolier avec la réputation bien ou mal fondée qu'il a acquise dans les sciences, fait encore qu'il plaît assez généralement, quoiqu'il soit rarement occupé de plaire: il ne cherche qu'à s'amuser et à divertir ceux qu'il aime; les autres s'amusent par contre-coup, sans qu'il y pense et qu'il s'en soucie.

Il dispute rarement et jamais avec aigreur: ce n'est pas qu'il ne soit, au moins quelquefois, attaché à son avis; mais il est trop peu jaloux de subjuguer les autres pour être fort empressé de les amener à penser comme lui.

D'ailleurs, à l'exception des sciences exactes, il n'y a presque rien qui lui paraisse assez clair pour ne pas laisser beaucoup de liberté aux opinions; et sa maxime favorite est que *presque sur tout on peut dire tout ce qu'on veut.*

Le caractère principal de son esprit est la netteté et la justesse. Il a apporté dans l'étude de la haute géométrie quelque talent et beaucoup de facilité, ce qui lui a fait en ce genre un assez grand nom de très bonne heure. Cette facilité lui a laissé le temps de cultiver encore les belles-lettres avec quelque succès: son style serré, clair et précis, ordinairement facile, sans prétention quoique châtié, quelquefois un peu sec, mais jamais de mauvais goût, a plus d'énergie que de chaleur, plus de justesse que d'imagination, plus de noblesse que de grâce.

Livré au travail et à la retraite jusqu'à l'âge de plus de vingt-cinq ans, il n'est entré dans le monde que fort tard et ne s'y est jamais beaucoup plu; jamais il n'a pu se plier à en apprendre les usages et la langue, et peut-être même met-il une sorte de vanité assez petite à les mépriser: il n'est cependant jamais *impoli*, parce qu'il n'est ni grossier ni dur; mais il est quelquefois *incivil* par inattention ou par ignorance. Les compliments qu'on lui fait l'embarrassent parce qu'il ne trouve jamais sous sa main les formules par lesquelles on y répond: ses discours n'ont ni galanterie ni grâce; quand il dit des choses obligeantes, c'est uniquement parce qu'il les pense, et que ceux à qui il les dit lui plaisent. Aussi le fond de son caractère est une franchise et une vérité souvent un peu brutes, mais jamais choquantes.

Impatient et colère jusqu'à la violence, tout ce qui le contrarie, tout ce qui le blesse fait sur lui une impression vive dont il n'est pas le maître, mais qui se dissipe en s'exprimant: au fond il est très doux, très aisé à vivre, plus complaisant même qu'il ne le paraît, et assez facile à gouverner, pourvu néanmoins qu'il ne s'aperçoive pas qu'on en a l'intention, car son amour pour l'indépendance va jusqu'au fanatisme, au point qu'il se refuse souvent à des choses qui lui seraient agréables, lorsqu'il prévoit qu'elles pourraient être pour lui l'origine de quelque contrainte; ce qui a fait dire avec raison à un de ses amis qu'il était *esclave de sa liberté.*

Quelques personnes le croient méchant, parce qu'il se moque sans scrupule des sots à prétention qui l'ennuient; mais, si c'est un mal, c'est tout celui qu'il est capable de faire: il n'a ni le fiel ni la patience nécessaires pour aller au delà; et il serait au désespoir de penser que quelqu'un fût malheureux par lui, même parmi ceux qui ont cherché le plus à lui nuire. Ce n'est pas qu'il oublie les mauvais procédés ni les injures, mais il ne sait s'en venger qu'en refusant constamment son amitié et sa confiance à ceux dont il a lieu de se plaindre.

L'expérience et l'exemple des autres lui ont appris en général qu'il faut se défier des hommes; mais son extrême franchise ne lui permet pas de se défier d'aucun en particulier: il ne peut se persuader qu'on le trompe; et ce défaut (car c'en est un, quoiqu'il vienne d'un bon principe) en produit chez lui un autre plus grand, c'est d'être trop aisément susceptible des impressions qu'on veut lui donner.

Sans famille et sans liens d'aucune espèce, abandonné de très bonne heure à lui-même, accoutumé dès son enfance à un genre de vie obscur et étroit, mais libre; né, par bonheur pour lui, avec quelques talents et peu de passions, il a trouvé dans l'étude et dans sa gaieté naturelle une ressource contre le délaissement où il était; il s'est fait une sorte d'existence dans le monde sans le secours de qui que ce soit, et même sans trop chercher à se la faire. Comme il ne doit rien qu'à lui-même et à la nature, il ignore la bassesse, le manège, l'art si nécessaire de faire sa cour pour arriver à la fortune: son mépris pour les noms et pour les titres est si grand qu'il a eu l'imprudence de l'afficher dans un de ses écrits; ce qui lui a fait, dans cette classe d'hommes orgueilleux et puissants, un assez grand nombre d'ennemis, qui voudraient le faire passer pour le plus vain de tous les hommes; mais il n'est que fier et indépendant, plus porté d'ailleurs à s'apprécier au-dessous qu'au-dessus de ce qu'il vaut.

Personne n'est moins jaloux des talents et des succès des autres, et n'y applaudit plus volontiers, pourvu néanmoins qu'il n'y voie ni charlatanerie ni présomption choquante; car alors il devient sévère, caustique et peut-être quelquefois injuste.

Quoique sa vanité ne soit pas aussi excessive que bien des gens le croient, elle n'est pas non plus insensible; elle est même très sensible, au premier moment, soit à ce qui la flatte, soit à ce qui la blesse; mais le second moment et la réflexion remettent bientôt son âme à sa place et lui font voir les éloges avec assez d'indifférence et les satires avec assez de mépris.

Son principe est qu'un homme de lettres qui cherche à fonder son nom sur des monuments durables, doit être fort attentif à ce qu'il écrit, assez à ce qu'il fait et médiocrement à ce qu'il dit. M. d'Alembert conforme sa conduite à ce principe; il dit beaucoup de sottises, n'en écrit guère et n'en fait point.

Personne ne porte plus loin que lui le désintéressement; mais comme il n'a ni besoins, ni fantaisies, ces vertus lui coûtent si peu qu'on ne doit pas l'en louer; ce sont plutôt en lui des vices de moins que des vertus de plus.

Comme il y a très peu de personnes qu'il aime véritablement et que, d'ailleurs, il n'est pas fort affectueux avec celles qu'il aime, ceux qui ne le connaissent que superficiellement le croient peu capable d'amitié: personne cependant ne s'intéresse plus vivement au bonheur ou au malheur de ses amis; il en perd le sommeil et le repos, et il n'y a pas de sacrifice qu'il ne soit prêt à leur faire.

Son âme, naturellement sensible, aime à s'ouvrir à tous les sentiments doux; c'est pour cela qu'il est tout à la fois très gai et très porté à la mélancolie; il se livre même à ce dernier sentiment avec une sorte de délices; et cette pente que son âme a naturellement à s'affliger, le rend assez propre à écrire des choses tristes et pathétiques.

Avec une pareille disposition, il ne faut pas s'étonner qu'il ait été susceptible, dans sa jeunesse, de la plus vive, de la plus tendre et de la plus douce des passions; les distractions et la solitude la lui ont fait ignorer longtemps. Ce sentiment dormait, pour ainsi dire, au fond de son âme; mais le réveil a été terrible; l'amour n'a presque fait que le malheur de M. d'Alembert, et les chagrins qu'il lui a causés l'ont dégoûté longtemps des hommes, de la vie et de l'étude même. Après avoir consumé ses premières années dans la méditation et le travail, il a vu, comme le sage, le néant des connaissances humaines; il a senti qu'elles ne pouvaient occuper son coeur et s'est écrié avec l'Aminte du Tasse: «J'ai perdu tout le temps que j'ai passé sans aimer.» Mais comme il ne prenait pas aisément de l'amour, il ne se persuadait pas aisément qu'on en eût pour lui; une résistance trop longue le rebutait, non par l'offense qu'elle faisait à son amour-propre, mais parce que la simplicité et la candeur de son âme ne lui permettaient pas de croire qu'une résistance soutenue ne fût qu'apparente. Son âme a besoin d'être remplie et non pas tourmentée; il ne lui faut que des émotions douces; les secousses l'usent et l'amortissent.

PORTRAIT DE MADEMOISELLE DE LESPINASSE PAR D'ALEMBERT, ADRESSÉ À ELLE-MÊME EN 1771

Le temps et l'habitude, qui dénaturent tout, mademoiselle, qui détruisent nos opinions et nos illusions, qui anéantissent ou affaiblissent l'amour même, ne peuvent rien sur le sentiment que j'ai pour vous et que vous m'avez inspiré depuis dix-sept ans: ce sentiment se fortifie de plus en plus par la connaissance que j'ai des qualités aimables et solides qui forment votre caractère; il me fait sentir en ce moment le plaisir de m'occuper de vous, en vous peignant telle que je vous vois.

Vous ne voulez pas, dites-vous, que je me borne à faire la moitié de votre portrait en ne composant qu'un panégyrique; vous y voudriez des ombres, apparemment pour relever la vérité du reste; et vous m'ordonnez de vous entretenir de vos défauts, même, en cas de besoin, de vos vices, si je vous en connais quelques-uns. De vices, j'avoue que je ne vous en sais point, et j'en suis presque fâché, tant j'aurais envie de vous obéir. De défauts, je vous en connais quelques-uns, et même d'assez déplaisants pour les gens qui vous aiment.

Trouvez-vous cette déclaration assez grossière?

Je souhaiterais même que vous eussiez d'autres défauts que ceux dont j'ai à vous faire le reproche. Je voudrais en vous ces défauts qui rendent aimable, de ceux qui sont l'effet des passions; car j'avoue que j'aime les défauts de cette espèce: mais par malheur ceux que j'ai à vous reprocher n'en sont pas, et prouvent peut-être (je ne vous dis cela qu'à l'oreille) qu'il n'y a guère de passion chez vous.

Je ne parlerai point de votre figure; vous n'y attachez aucune prétention, et d'ailleurs c'est un objet auquel un vieux et triste philosophe comme moi ne prend pas garde, auquel il ne se connaît pas, auquel même il se pique de ne se pas connaître, soit par ineptie, soit par vanité, comme il vous plaira. Je dirai cependant de votre extérieur, ce qui me paraît frapper tout le monde: que vous avez beaucoup de noblesse et de grâces dans tout votre maintien et, ce qui est bien préférable à une beauté froide, beaucoup de physionomie et d'âme dans tous vos traits. Aussi pourrais-je vous nommer plus d'un de vos amis qui auraient eu pour vous plus que de l'amitié, si vous l'aviez voulu.

Le goût qu'on a pour vous ne tient pas seulement à vos agréments extérieurs; il tient surtout à ceux de votre esprit et de votre caractère, votre esprit plaît et doit plaire par bien des qualités, par l'excellence de votre ton, par la justesse de votre goût, par l'art que vous avez de dire à chacun ce qui lui convient.

L'excellence de votre ton ne serait pas un éloge pour une personne née à la cour et qui ne peut parler que la langue qu'elle a apprise: en vous c'est un mérite très réel, et même très rare; vous l'avez apporté du fond d'une province, où vous n'aviez trouvé personne qui vous l'enseignât. Vous étiez sur ce point aussi parfaite le lendemain de votre arrivée à Paris, que vous l'êtes aujourd'hui. Vous vous y êtes trouvée dès le premier jour aussi libre, aussi peu déplacée dans les sociétés les plus brillantes et les plus difficiles, que si vous y aviez passé votre vie; vous en avez senti les usages avant de les connaître, ce qui suppose une justesse et une finesse de tact très peu communes, une connaissance exquise des convenances. En un mot vous avez deviné le langage de ce qu'on appelle *bonne compagnie*, comme Pascal dans ses *Provinciales* avait deviné la langue française, qui n'était pas formée de son temps, et le ton de la bonne plaisanterie, qu'il n'avait pu apprendre de personne dans la retraite où il vivait. Mais comme vous sentez parfaitement que vous avez ce mérite, et même que ce n'est pas en vous un mérite ordinaire, vous avez peut-être le défaut d'y attacher trop de prix dans les autres: il faut bien des qualités réelles pour vous faire pardonner à ceux qui ne l'ont pas; et sur cet objet assez peu important, vous êtes impitoyable jusqu'à la minutie.

Oui, mademoiselle, la seule chose sur laquelle vous soyez délicate, et délicate au point d'en être quelquefois *odieuse*, ici je suis comme Mme Bertrand dans la comédie du *Moulin de Javelle*, et *je vais d'abord aux invectives*, parce qu'il est question de défendre mes propres foyers, c'est votre excessive sensibilité sur ce qu'on nomme le *bon ton* dans les manières et dans les discours; le défaut de cette qualité vous paraît à peine effacé par le sentiment le plus tendre et le plus vrai qu'on puisse vous marquer: mais, en récompense, il est des hommes en qui cette qualité supplée auprès de vous à toutes les autres; vous les trouvez tels qu'ils sont, faibles, personnels, pleins d'airs, incapables d'un sentiment profond et suivi, mais aimables et pleins de grâces, et vous avez la plus grande disposition à les préférer à vos plus fidèles, à vos plus sincères amis; avec un peu plus de soin et d'attention pour vous, ils éclipseraient tout à vos yeux, et peut-être vous tiendraient lieu de tout.

La même justesse de goût qui vous donne un si grand usage du monde, se montre assez généralement dans les jugements que vous portez sur les ouvrages. Vous ne vous y trompez guère, et vous vous y tromperiez encore moins, si vous vouliez toujours *être* réellement *de votre opinion*, et ne point juger d'après certaines personnes aux genoux desquelles votre esprit a la bonté de se prosterner, quoiqu'elles n'aient pas à beaucoup près le don d'être infaillibles. Vous leur faites quelquefois l'honneur d'attendre leur avis, pour en avoir un qui ne vaut pas celui que vous auriez eu de vous-même.

Vous avez encore un autre défaut, c'est de vous prévenir et, comme on dit, de vous *engouer* à l'excès en faveur de certains ouvrages. Vous jugez avec assez de *justice* et de *justesse* tous les livres où il n'y a qu'un degré médiocre de sentiment et de chaleur: mais quand ces deux qualités dominent dans certains endroits d'un ouvrage, toutes les taches, même considérables, qu'il peut avoir, disparaissent pour vous; il est *parfait* à vos yeux, et il vous faut du temps et un sens plus rassis pour le juger tel qu'il est. J'ajouterai cependant, pour vous consoler de cette censure, que tout ce qui tient au sentiment est un objet sur lequel vous ne vous trompez jamais, et qu'on peut appeler votre domaine.

Mais ce qui vous distingue surtout dans la société, c'est l'art de dire à chacun ce qui lui convient; et cet art, quoique peu commun, est pourtant bien simple chez vous; il consiste à ne jamais parler de vous aux autres, et beaucoup d'eux. C'est un moyen infaillible de plaire; aussi plaisez-vous généralement, quoiqu'il s'en faille de beaucoup que tout le monde vous plaise: vous savez même ne pas déplaire aux personnes qui vous sont les moins agréables. Ce désir de plaire à tout le monde vous a fait dire un mot qui pourrait donner mauvaise opinion de vous à ceux qui ne vous connaîtraient pas à fond. *Ah! que je voudrais*, vous êtes-vous écriée un jour, *connaître le faible de chacun!* Ce trait semblerait partir d'une profonde politique et d'une politique même qui avoisine la fausseté: cependant vous n'avez nulle fausseté; toute votre politique se réduit à désirer qu'on vous trouve aimable, et vous le désirez, non pas par un principe de vanité dont vous n'êtes que trop éloignée, mais par l'envie et le besoin de répandre plus d'agrément dans votre vie journalière.

Si vous plaisez généralement à tout le monde, vous plaisez surtout aux gens aimables; et vous leur plaisez par l'effet qu'ils font sur vous, par l'espèce de jouissance qu'éprouve leur amour-propre en voyant à quel point vous sentez leurs agréments; vous avez l'air de leur être obligée de ces agréments comme s'ils n'étaient que pour vous, et vous doublez pour ainsi dire le plaisir qu'ils ont de se trouver aimables.

La finesse de goût qui se joint en vous au désir continuel de plaire, fait que, d'un côté, il n'y a jamais rien en vous de *recherché*, et que de l'autre il n'y a rien de *négligé*; aussi peut-on dire de vous que vous êtes très *naturelle* et nullement *simple*.

Discrète, prudente et réservée, vous possédez l'art de vous contraindre sans effort, et de cacher vos sentiments sans les dissimuler. Vraie et franche avec ceux que vous estimez, l'expérience vous a rendue défiante avec tout le reste; mais cette disposition, qui est un vice quand on commence à vivre, est une qualité précieuse pour peu qu'on ait vécu.

Cependant cette attention, cette circonspection dans la société, qui vous sont ordinaires, n'empêchent pas que vous ne soyez quelquefois inconsidérée; il vous est arrivé, à la vérité bien rarement, de laisser échapper en présence de certaines personnes des discours qui vous ont beaucoup nui auprès d'elles: c'est que vous êtes franche par nature et discrète seulement par réflexion; et que la nature s'échappe quelquefois malgré nos efforts.

Les différents contrastes qu'offre votre caractère, de naturel sans simplicité, de réserve et d'imprudence, contrastes qui viennent en vous du combat de l'art et de la nature, ne sont pas les seuls qui existent dans votre manière d'être, et toujours par la même cause. Vous êtes à la fois gaie et mélancolique, mais gaie par votre naturel et mélancolique encore par réflexion: vos accès de mélancolie sont l'effet des différents malheurs que vous avez éprouvés; votre disposition physique ou morale du moment les fait naître; vous vous y livrez avec une satisfaction douloureuse, et en même temps si profonde, que vous souffrez avec peine qu'on vous arrache de la mélancolie par la gaieté, et qu'au contraire vous retombez avec une sorte de plaisir, de la gaieté dans la mélancolie.

Quoique vous ne soyez pas toujours mélancolique, vous êtes sans cesse pénétrée d'un sentiment plus triste encore; c'est le dégoût de la vie: ce dégoût vous quitte si peu, que si même dans un moment de gaieté on vous proposait de mourir, vous y consentiriez sans peine. Ce sentiment continu tient à l'impression vive et profonde que vos chagrins vous ont laissée; vos affections même, et l'espèce de passion que vous y mettez, ne la détruisent pas; on voit que la douleur, si je puis parler de la sorte, vous a *nourrie*, et que les affections ne font que vous consoler.

Ce n'est pas seulement par vos agréments et par votre esprit que vous plaisez généralement, c'est encore par votre caractère. Quoique vous sentiez bien les ridicules, personne n'est plus éloigné que vous d'en donner; vous abhorrez la méchanceté et la satire: vous ne haïssez personne, si ce n'est peut-être une seule femme, qui à la vérité a bien fait tout ce qu'il fallait pour être haïe de vous; encore votre haine pour elle n'est-elle pas active, quoique la sienne à votre égard le soit jusqu'au ridicule et jusqu'à un excès qui rend cette femme très malheureuse.

Vous avez une autre qualité très rare, et surtout dans une femme; vous n'êtes nullement envieuse: vous rendez justice avec la satisfaction la plus vraie aux agréments et aux bonnes qualités de toutes les femmes que vous connaissez; vous la rendez même à votre ennemie dans ce qu'elle peut avoir soit de bon et d'estimable, soit d'agréable et de piquant.

Cependant, car il ne faut pas vous flatter même en disant du bien de vous, cette bonne qualité, toute rare qu'elle est, est peut-être moins louable en vous qu'elle ne le serait en beaucoup d'autres. Si vous n'êtes point envieuse, ce n'est pas précisément parce que vous trouvez bon que d'autres personnes aient sur vous les mêmes avantages; c'est qu'après avoir bien regardé autour de vous, tous les êtres existants vous paraissent également à plaindre et qu'il n'y en a aucun dont vous voulussiez changer la situation contre la vôtre. S'il y avait ou si vous connaissiez un être souverainement heureux, vous seriez peut-être très capable de lui porter envie; et on vous a souvent ouï dire qu'il était juste que les personnes qui ont de grands avantages eussent aussi de grands malheurs, pour consoler ceux qui seraient tentés d'en être jaloux.

Ne croyez pas cependant que votre peu de jalousie cesse d'être une vertu, quoique le principe n'en soit pas aussi pur qu'il pourrait l'être; car combien y a-t-il de gens qui ne croient pas que personne soit heureux, qui ne voudraient être à la place de personne et qui ne laissent pas d'être jaloux?

Votre éloignement pour la méchanceté et l'envie suppose en vous une âme noble; aussi la vôtre l'est-elle à tous égards: quoique vous désiriez la fortune et que vous en ayez besoin, vous êtes incapable de vous donner aucun mouvement pour vous la procurer; vous n'avez pas même su profiter des occasions les plus favorables que vous avez eues pour vous faire un sort plus heureux.

Non seulement vous avez l'âme très élevée, vous l'avez encore très sensible; mais cette sensibilité est pour vous un tourment plutôt qu'un plaisir; vous êtes persuadée qu'on ne peut être heureux que par les passions, et vous connaissez trop le danger des passions pour vous y livrer. Vous n'aimez donc qu'autant que vous l'osez; mais vous aimez tout ce que vous pouvez ou tant que vous le pouvez; vous donnez à vos amis, sur cette sensibilité qui vous surcharge, tout ce que vous pouvez vous permettre: mais il vous en reste encore une surabondance dont vous ne savez que faire, et que, pour ainsi dire, vous jetteriez volontiers *à tous les passants*; cette surabondance de sensibilité vous rend très compatissante pour les malheureux, même pour ceux que vous ne connaissez pas; rien ne vous coûte pour les soulager. Avec cette disposition, il est naturel que vous soyez très obligeante: aussi ne peut-on vous faire plus de plaisir que de vous en fournir l'occasion; c'est donner à la fois de l'aliment à votre bonté et à votre activité naturelle. J'ai dit que vous donniez à vos amis *tous les sentiments que vous pouviez vous permettre*; vous leur accordez même quelquefois au delà de ce qu'ils seraient en droit d'exiger: vous les défendez avec courage, en toute circonstance et en tout état de cause, soit qu'ils aient tort ou raison. Ce n'est peut-être pas la meilleure manière de les servir; mais tant de gens abandonnent leurs amis lors même qu'ils pourraient et devraient les défendre, qu'on doit savoir gré à votre amitié de fuir et d'abhorrer cette lâcheté, même jusqu'à l'excès.

L'espèce de mouvement sourd et intestin qui agite sans cesse votre âme, fait qu'elle n'est pas aussi égale qu'elle le paraît, même à vos amis. Vous avez souvent de l'humeur et de la sécheresse, mais, par une suite de votre désir général de plaire, vous ne la laissez guère paraître qu'à l'auteur de ce portrait: il est vrai que vous rendez justice à son amitié en ne craignant point de vous laisser voir à lui telle que vous êtes; mais cette amitié se croit obligée de vous dire que la sécheresse et l'humeur vous déparent beaucoup à tous égards. Ainsi, pour l'intérêt même de votre amour-propre, l'amitié vous conseille d'avoir le moins de sécheresse et d'humeur que vous pourrez, à moins que vos amis ne le méritent, ce qui doit leur arriver bien rarement, grâce aux sentiments si profonds et si justes dont ils sont pénétrés pour vous.

Vous convenez de cette maudite sécheresse, et c'est bien fait à vous; ce qu'il y aurait encore de mieux à faire, ce serait de vous en corriger.

Pour vous en dispenser, vous cherchez à vous persuader qu'elle est incorrigible et qu'elle tient à votre caractère: je crois que vous vous trompez là-dessus et qu'elle tient bien plutôt à la situation où vous êtes. Vous étiez née avec une âme tendre, douce et sensible; vous ne l'avez que trop éprouvée, et les effets pour vous n'ont été que trop cruels: or, vous en direz tout ce qu'il vous en plaira, mais la sensibilité extrême exclut la sécheresse. Ce vilain défaut n'est donc pas en vous l'ouvrage de la nature, mais, ce qui est *affreux*, l'ouvrage de l'art: à force d'être contrariée, choquée, blessée dans vos sentiments et dans vos goûts, vous vous êtes accoutumée à ne vous affecter de rien; à force de réprimer les sentiments qui auraient pu faire votre malheur, vous avez amorti ceux qui auraient répandu la douceur dans votre âme; ils restent comme endormis au fond de votre coeur, sans mouvement, sans activité, et vous avez préparé bien du mal à vos amis en vous mettant à l'abri de celui que vos ennemis cherchaient à vous faire; en travaillant à vous rendre dure à vous-même, vous l'êtes devenue pour ceux qui vous aiment. Il est vrai—car le sentiment n'est point anéanti chez vous, il n'est qu'assoupi—que vous ne tardez pas à vous repentir des chagrins que votre sécheresse a causés, quand vous voyez que ces chagrins ont fait une impression profonde; vous revenez alors à votre sensibilité ancienne; un moment, un mot répare tout. Dans les autres, le premier mouvement est l'effet de la nature, le second est celui de la réflexion: chez vous c'est tout le contraire; et tel est dans votre âme, d'ailleurs si estimable, le cruel et malheureux effet de l'habitude.

Ce qui prouve encore que cette *sécheresse* n'est point naturelle en vous, c'est un autre défaut que je vous ai reproché et qui est presque l'opposé de celui-là, *le désir banal de plaire à tout le monde*: pour ce défaut-là, vous le tenez beaucoup plus que l'autre de la nature; elle vous a donné dans l'esprit les qualités les plus faites pour plaire, de la noblesse, des agréments et de la grâce; il est tout simple que vous cherchiez à en tirer parti, et vous n'y réussissez que trop bien. Je ne connais personne, je le répète, qui plaise aussi généralement que vous, et peu de personnes qui y soient plus sensibles; vous ne refusez pas même de faire les avances quand on ne va pas au-devant de vous; et sur ce point votre fierté est sacrifiée à votre amour-propre: assez sûre de conserver ceux que vous avez acquis, vous êtes principalement occupée à en acquérir d'autres; vous n'êtes pas même, il faut en convenir, aussi difficile sur le choix qu'il vous conviendrait de l'être. La finesse et la justesse de votre tact devraient vous rendre délicate sur le genre et le choix des connaissances; l'envie d'avoir une cour et ce qu'on appelle dans le monde des amis, vous a rendue d'assez bonne composition et les ennuyeux ne vous déplaisent pas trop, pourvu que ces ennuyeux-là vous soient dévoués.

Les noms, les titres ne vous en imposent pas; vous voyez les grands comme il faut les voir, sans bassesse et sans dédain. L'infortune vous a donné cet orgueil respectable qu'elle inspire toujours à ceux qui ne la méritent pas. Votre peu d'aisance et la triste connaissance que vous avez acquise des hommes, vous font redouter les bienfaits dont le joug est si souvent à craindre pour les âmes bien nées; peut-être même êtes-vous portée à pousser ce sentiment jusqu'à l'excès: mais, en ce genre, l'excès même est une vertu.

Votre courage est au-dessus de votre force; l'indigence, la mauvaise santé, les malheurs de toute espèce exercent votre patience sans l'abattre. Cette patience intéressante et le spectacle de ce que vous avez souffert devaient vous faire des amis et vous en ont fait; vous avez trouvé quelque consolation dans leur attachement et dans leur estime.

Voilà, mademoiselle, ce que vous me paraissez être: vous n'êtes pas parfaite, sans doute, et c'est en vérité tant mieux pour vous; car le *parfait Grandisson* m'a toujours paru un odieux personnage. Je ne sais si je vous vois bien; mais, telle que je vous vois, personne ne me paraît plus digne d'éprouver par soi-même et de faire éprouver aux autres ce qui seul peut adoucir les maux de la vie, les douceurs du sentiment et de la confiance.

En finissant ce portrait, je ne puis pas ajouter comme dans la chanson:

Le prieur qui l'a fait
  En est très satisfait;

mais je sens que je vous applique, et de tout mon coeur, le vers de Dufresny sur la jeunesse:

... Que de défauts elle a
  Cette jeunesse! On l'aime avec ces défauts-là.

FIN

Milton Keynes UK
Ingram Content Group UK Ltd.
UKHW030822030823
426269UK00009B/453